An Approach to
Happiness

Kathy R. Matsui
and
Haruyo Masuda

Ribun Shuppan Co., Ltd
Tokyo Japan

幸福へのアプローチ

An Approach to Happiness

平成13年10月4日発行

著　者　　益田晴代・松井ケティ

発行所　　株式会社 里文出版
　　　　　〒160-0022
　　　　　東京都新宿区新宿3-32-10

ＴＥＬ.　03-3352-7322

ＦＡＸ.　03-3352-7324

振　替　　00190-0-65033

印刷所　　株式会社平河工業社

ＩＳＢＮ4-89806-156-7 C0037

Published by Ribun Shuppan Co., Ltd.
　3-32-10 Shinjuku, Shinjuku-ku, Tokyo
　160-0022 Japan.
　Tel. 81-3-3352-7322
　Fax. 81-3-3352-7324

CONTENTS

FOREWORD by Kathy R. Matsui 5

An Approach to Happiness
Education for Happiness by Kathy R. Matsui 7

Happiness 9

Chapter 1
Environment for Happiness 10

Traps that Distance Happiness- Adults holding
the wrong end of the stick 10

Children Are Not Possessions 10

Labeling Problem Child Is a Problem 13

Constructing Happiness 18

Community Rather than Nuclear Family 18

Difference Makes Diversity 21

Children Are Lovable and Capable 23

Improving Communication Skills 24

Chapter 2
Education for Happiness 27

Education Promoted by UNESCO 27

The Culture of Peace 27

Education in the 21st Century 31

Necessary Support in Non-academic Areas 34

Practice through Peace Education 38

Communication Skills for Caring 43

An Approach to Happiness
Living in the Moment (an abridged translation)
by Haruyo Masuda 53

AFTERWORD by Haruyo Masuda 65

Cover Design by Eriko Morimoto
Illustrated by Yukiko Masuda

FOREWORD

We believe that true happiness comes from inner peace. Our life is often determined by the happiness or unhappiness of those surrounding us. We live in a world undermined by stress and anxieties. We need to learn to overcome distressful situations in order to obtain happiness. How can we achieve and maintain happiness? How can we have peace within ourselves?

Mrs. Haruyo Masuda and I often talked about how various factors affect our life. We also shared our thoughts about the value of life and the importance of education, at home and at school. We discussed what we have learned, heard or seen that had attracted our interests. There were so many valuable ideas and events that we thought of writing them down and keeping a record of them. This is how this book was published.

Through Mrs. Masuda's experiences, we hope that the readers would learn the means to overcome ordeals in life and achieve inner peace and happiness. Through the methods and practices of communication skills for caring, we hope that the readers would learn the tips to resolve conflict constructively and attain a peaceful mind.

In the process of having this book published, we realized that we were supported by a lot of people surrounding us. We thank Ms. Tatsuno of Ribun Publishing Company and our peers who have spent a lot of time proofreading our text and offering us suggestions. We must not forget to thank the members of our family who have been patient with us and supported us in many ways, while we sat in front of the computer typing away.

Indeed, through this writing process we were able to confirm that happiness grows within us if we work for it. If we all become happy individuals, we can fill the community with peace and happiness. This soothing and warm spirit, would in turn spead throughout the country and someday cover the whole Earth. The chain of happiness progressively links families, regions, and nations in peace.

Kathy R. Matsui

September 2001

An Approach to Happiness

Education for Happiness

by Kathy R. Matsui

Happiness

Happiness may be based on one's destiny, but destiny can depend on one's way of life. Life can change, from bad to good and, needless to mention, from good to bad. Thus, the path to happiness is developed according to the environment that one is raised in, which includes family and education, as well as the choices one makes. Then, what are the conditions, what kind of environment and education brings happiness? What are the traps that bring unhappiness? What kind of knowledge should one gain to be able to make successful choices?

Happiness lies side by side with inner peace. A peaceful mind brings happiness. Requirements to earn happiness are countless: financial stability, environment without conflict, good harvest, rich food resources, shelter protected from fire and natural disaster, a good human relationship, and mind free from vices such as greed and jealousy. However, if there is a path that leads to happiness, depending on one's own effort, then I believe that this path begins from childhood or even from the time the fetus grows in its mother's womb. This path is what will be discussed in this book.

Chapter 1
Environment for Happiness

Traps that Distance Happiness- Adults holding the wrong end of the stick

There are traps that keep happiness away. As mentioned earlier, if the path towards happiness begins from childhood or even from the time the fetus grows in its mother's womb, then one of the traps could be adults holding the wrong end of the stick. Much that parents love their own children, there may be a tendency that they may excessively generate their emotions and attempt to control them, forgetting that each child is an individual who has his/her own feelings, personality and desire.

Children Are Not Possessions

Children are a treasure. They are future citizens of our society, an important human resource that would one day be adults and needless to say, our future global citizens. They may grow up to lead the world with violence and power, or they may use constructive skills and knowledge to lead the world with love and peace, the outcome may depend on the environment, family, education and human relations in which children are raised. Thus, parents need to understand their important role and responsibility to raise children as future citizens, as future leaders of society. Parents may corner children into serious stressful conditions when they treat them as if they were their personal possessions.

Examples of induced stress exerted by the parents are forcing their children to wear clothes they dislike, pressing them to realize the dreams and careers parents themselves were not able to, or influencing children with values that do not harmonize with society. Often, what parents believe is beneficial to their children may not necessarily be so. Parents may suggest the experiences in life conducive to their success, and allow the children to force such experiences in their choices. But children are individuals, they have their own dreams and own choices. If children come up with ideas that are not compatible with those of the parents, they should make research and try to convince them how their ideas could be reliable and true. Parents should be facilitators who educate and guide children towards happiness, though this certainly is not an easy task.

Education for parents is necessary. Parents are given an important mission to raise future citizens of society. That is why family education is needed to educate adults to be reliable parents. Parents have their own human weaknesses. People are not perfect, thus some kind of guidance is demanded. I myself is a parent and I am not perfect. Usually, I can easily accept and discipline my children when they misbehave themselves, but there are also days when simple and trivial disobedience is irritable to me. When I am irritated, I may get out of control and scold my children to the point of hurting their feelings beyond their expectations. When I get my senses back, I regret what I have said. Then, when I see my children sleeping calmly like little angels, I recall my remorseful feelings. Having repeated such mistakes several times and learned the tactics of conflict resolution, I now follow up on the mistakes I make and explain my children why I have done what I did. I tell my children that I may have surprised them for severely scolding them the day before. I continue on and say "I may have overdone it." I ask them, "Do you know why I was very upset?" and explain to them the reason why I felt that way. Then I make sure I don't forget to say "Mom loves you very much" and hold them in my arms. I ask my children how they felt about it and we discuss and analyze our actions and feelings so that we do not leave any ill feelings behind us and resolve the conflict so that we can simply "let it go" Problems and conflict that are left unresolved may suddenly and unexpectedly be recalled 10 years or even 20 years later as it happened to a friend of mine several years ago.

My friend, Mia, was married and blessed with three children, until her husband started having an affair with a woman and their marriage ended in divorce. Mia was in deep sorrow and was having a nervous breakdown. Such unbearable emotional agony caused physical distress and she suffered from atopic dermatitis for months. To care for her and her children, her own mother came to live with them. That was the beginning of another ordeal, especially for her mother. Because of her sickness, she was very irritable and she started to recall all her mother's deeds that have hurt her when she was a little girl. Her mother was taken by surprise to be reminded of the events that had happened many years before and she was shocked to hear the accusations from her 35 year-old daughter. She believed that what she had done for her was for her daughter's sake and benefit, but for Mia, she felt pressurized to respond to her mother's expectations. Listening to their dialogue, I felt that she had given signals by attempting several subtle resistance but her mother was not able to read the messages. The mother is not to be blamed, for it is difficult for most parents to read the minds of their children. To avoid similar incidents, parents and children should learn the skills of communication to resolve conflict and to care for each other. With these skills, feelings can be clearly described and both parent and child can understand each other more deeply.

This incident has helped Mia to describe her inner feelings that have been hidden for many years. It also served as an opportunity for her mother to face a problem of the past. She had no choice but to deal with it. The actual incidents occurred many years ago, but if they can accept this as a second chance to resolve matters that they were not able to do so in the past. It's never too late to be given a chance to heal themselves. The mother and daughter confronted the problem, faced each other and talked. With this opportunity to understand each other by openly recognizing each other's feelings, Mia recovered day by day. Moreover, needless to say, she was also under medical treatment. Maintaining both mental and physical balance would facilitate her recovery. Problems left unresolved may pile up and explode when you least expect it. I confirmed that it is important to live each day to the fullest without leaving problems unresolved.

Labeling Problem Child Is a Problem

Children are innocent. Every adult was once a child. Therefore, adults should be able to understand a child's feelings. Unfortunately, most adults forget that they were once little and innocent. Thus, some adults have too high expectations of their children to be tolerant toward the mistakes their children make. However, mistakes are necessary for human growth as long as the wrong doings do not involve a matter of life and death. What counts is what one does after some wrong act has been done. It may help if one can ask oneself several questions such as "Why did this happen?" "What am I supposed to learn from this?" By learning from mistakes, one can constructively advance forward. Furthermore, challenges should be attempted to try new things without fearing mistakes. It is important to create an opportunity for growth. Children observe how their parents recover from mistakes. How should children's mistakes be treated? Should it be treated as a problem? Or should it be seen as an important training for the child and help him or her to grow as a mature human being? The child's attitude towards life would depend on how the parents deal with the mistakes.

Moreover, once parents label their child as a problem when he or she does not follow the set rules, then it would be difficult for them to envision their child's true virtues. Parents may be suppressing the child's capabilities.

When my son was in elementary school, there were two teachers who saw his quiet nature differently. One teacher saw it as a problem, she saw him as a passive learner and an introvert. She mentioned that if he doesn't learn to participate more actively in class, he would face academic difficulties in the future. Upon hearing this, I was at a loss. I didn't know how to change his nature, which is just what he is and he may grow out of later, but I just didn't know what to do besides telling him to be more active in class. On the other hand, the teacher he had the following year, saw him and accepted him as he is. When I asked him for his advice at the parent-teacher conference, he said that he was a late bloomer. The teacher mentioned that he was a quiet boy himself when he was little. He told me to accept him as he is. He has the potentials and he would eventually display them. Sure enough, his grades gradually went up and his name was in the Honor's List at the end of his elementary school year. I thank this teacher even now for excavating my son's capabilities and letting them shine. Since then he started to build confidence in himself and I truly feel that it was a blessing for my son to have met an adult whom he can admire and respect during his critical years of learning and maturity.

My daughter is an active child full of curiosity. When she was around one or two, I gradually saw her as a problem child and started calling her a "bad girl" or constantly said "Don't do that!" Or, ""no" to almost everything she touches. Then one day, my mother said to me "If you continue to say such negative things all the time, she'll really turn out to be a 'bad girl.' Why don' t you praise her more often?" I hadn't noticed what I was doing. I saw only her wrong doings and have forgotten to pay more attention to her good deeds. Since then, I have concentrated on praising my daughter whenever she deserved it and I tried to talk to her when she needed guidance instead of scolding her with "no's" and "don'ts." I promised myself to see my daughter with love and tolerance. When we are pressed with the duties we must fulfill everyday, we have countless of things we do not realize until we are told.

There was a friend who, in the midst of her emotional pain she suffered in dealing with her in-laws, often scolded her children by saying the things she least intended. One day, she phoned me for help. She said that she just told her 12 year-old daughter to die and she didn't know what to do. I thought to myself what I would do if I were in her shoes. Then I told her that I would follow up with the words I've said. Then, I thought to myself,"Now, what would I say?"

I continued telling her that I would say, "Donna (her daughter), my angry emotions made me say mean things and I am sorry for really hurting your feelings. I didn't really mean what I said. If you die, I would really cry in sorrow. You're an important person . When I think about your future and your happiness, I feel it's my responsibility to . discipline you and sometimes I get too serious and get carried away. " Then, I told her that I would go on to explain why I felt I had to discipline her. Finally, I would ask her how she felt about it and confirm whether she understood what my true intentions were. Discussion and dialogue would help to retain and maintain the trust between parent and child.

Parent and child are both human beings with feelings. Parent and child can either hurt each other or comfort each other with the words and deeds they say and do. If they constantly discuss and seriously listen to each other's feelings, then parents can see the subtle changes in their children and watch them grow.

There was one TV documentary program that still remains vividly in my mind. The program was about Attentive Deficit Hyperactivity Disorder. Children with this disorder are not attentive and are hyperactive. They cannot sit quietly in one place. Therefore they are not appreciated in the school classroom and often thought of as a problem child with learning disability.

In history, there have been geniuses who were children with ADHD such as Thomas Edison, an American scientist who was one of the great inventors; Leonardo Da Vinci, an Italian painter as well as a poet, an architect, a composer of music, a scientist and an inventor; and Ryoma Sakamoto, a samurai who played an important part in the establishment of a new government after the fall of the Tokugawa

Shogunate to herald the dawn of a new era, the Meiji Period.

Most children lose this disorder as they mature and grow up, but some must live with it as adults. Unlike Edison, Da Vinci and Sakamoto, there have been those who have turned out to be lawbreakers and problems, instead of geniuses, in society. What decides an ADHD child to make either a genius or a problem of them? The future of these children with disorder may depend on the environment and the people that raise them.

Thomas Edison 's mother understood his needs and weaknesses. When he was kicked out of school at around 9 years old, she gave him books to find his interests. When she found out that he had interest in science, she got him a book on Natural Philosophy and a lab to do his experiments in.

Leonardo Da Vinci had a lonely childhood. His mother and father were separated when he was a child and he lived with his father. He was not wanted at school because he was a problem and his short temper kept friends away. However, when his father discovered that he had an artistic talent, he sent him as apprentice to a competitive art shop. There, he was able to develop his talents.

Ryoma Sakamoto lost his mother when he was very young. His oldest sister raised him. He was also not wanted at school and he had no friends but his sister saw the goodness in him and educated him at home. He was raised by someone who understood him and saw his virtues.

Children with ADHD, can fully exert their talent and be attentive to things of their interest. Those who turn out to be outcasts of society have often grown up in an environment that has seen them as a problem. A typical vicious circle of children with ADHD is to be scolded at home for being hyperactive and breaking things, to be scolded at school for not being attentive, and to be bullied and disliked by friends because of their short temper or their deep interest in things that make them look strange or different from others. With such an environment, they may grow up with hate and anger.

Reportedly, this disorder can be cured with medication. However treatment without using drugs is also possible and preferable. Such natural treatment is to 1) praise the child, 2) let the child stand in front of the mirror and find five good things about him or herself every day, to find five things to change himself or herself into a better person, and 3) let the child write his or her emotions and problems - to analyze his or her own self objectively.

This treatment is also necessary for anyone, even those without this disorder; for it builds self esteem and confidence in all children with or without disorder. An environment that helps children to find their qualities enables them to fully exert themselves to become mature.

Constructing Happiness

Community Rather than Nuclear Family

When I was a child, I recall that I was often scolded by my parents. Fear of being abandoned, I remember apologizing and desperately pleading for forgiveness. Nevertheless, I made the same mistakes and got scolded again. I remember the time I stole a ten thousand yen bill and went to a nearby stationery shop to buy crayons with 28 colors. The shopkeeper thought that ten thousand yen bill, especially 40 years ago, was not an amount a child would normally have, and called my mother. Needless to say, I was terribly scolded that day.

In another occasion, I often went to the mountains where my mother strongly forbade me to go to. It was my favorite place and I often came home with dirt on my clothes and my face. When she, with a very scary face, asked if I had been in the mountains I would often tell a lie and immediately answer, "No, I went to the school yard nearby."

At midnight of the same evening I got scolded by my mother, I often wet the bed. Then my mom would drag me out of the bed and force me to sleep in the dog house. Being a child, it was an embarrassing and hurting experience for me. Then, my grandmother , who used to live with us, would see me and would always warmly comfort me. I wet my bed so frequently that she thought she had to do something about it. She said "I'll take you to hot springs, that would surely cure bed-wetting." I have never forgotten her love and warmth even to this day.

Children need the balance of having an adult to discipline them and another to warmly protect them under the same roof to keep them healthy, mentally and physically. Constant scolding would shrink the child's soul, but if there's even one person who could sincerely offer comfort and love, the child would be able to live on with hope. This balance would not be attained in a nuclear family. Parents are not experienced in child rearing, they must make great effort in raising their children and work hard to earn a living at the same time. As days go by, parents gradually overexert themselves and wear themselves out. When people are extremely tired, people tend to lose temper easily and hurt others by saying things they really do not mean to say. This can happen to these hard working parents and unexpectedly hurt their children.

When these things repeatedly occur without resolving the wrong done to their children and when both parents and children constantly hurt themselves, then this repetition may lead to family destruction. However, if a grandparent or anyone who can play a similar role lives in the house besides the parents, then this person would be someone who can heal the scars marked in the child's little soul. It would be ideal to have the whole family raise the children. Moreover, it would be even more favorable to have the whole community raise the children. The book written by former First Lady of the United States of America and the present New York State representative, Senator Hillary Clinton was based on child rearing in the Black community. The adults of the community raise and give love to all the children in the village. This is very much similar to the Japanese society of several decades ago. It is unfortunate that this ideal community gave way to nuclear family and neighbors do not help each other anymore. Self-centered adults have increased and they influence the children to follow their footsteps.

This culture of the whole village raising the children also exists in the Native American community. The chief is elected by the women in the community. As women are the ones who raise the boys, they are the ones who know the personality and the character of the children, thus they are the ones who know who would be qualified and fitting to be their leader. Though men become leaders, these men are raised by women and their character is formed by the values of these women.

School is not the only place for education; home could also be a learning ground for all children. If Japan could return to the good old days of the past, when grandparents and neighbors all participated in child rearing, then there may be hope to resolve the increasing crime rate of teenagers. Children need to be surrounded and loved by many adults to become lovable and capable individuals.

Difference Makes Diversity

Even blood related parent and child can involve themselves in an argument from different ideas and values, then wouldn't it be more challenging to face the people out of home? Even comrades who were born and raised in the same country, are different individuals who grew up in different family background and culture. Thus, this is one form of cross cultural experience. So many people, so many minds; each person is one individual with a personality of his/her own. The environment in which one is raised often influences the way one thinks and lives. People have different customs and food preferences; every Japanese is different.

When people meet other people from another country, then they face deeper differences in history, geography, culture and language. The values and culture that people are raised in are often taken for granted and believed to be ordinary, but they may seem strange to others. At the same time, people tend to judge others with the yardstick of one's own culture.

For example, most Americans greet each other, introduce each other and have conversations by standing at an arm's distance, which is about eighteen inches, to twenty-four inches apart. This is not necessarily a comfortable distance for people from other cultures. Some may prefer less or some may even prefer more distance. People from Latin American countries, North Africa or Middle East may prefer to stand closer together when talking. On the other hand, people from

Asian cultures tend to stand farther apart. The Japanese people tend to stand closer when talking with friends and farther with superiors such as teachers and bosses.

In a diverse community, some are disabled and some are not. Nevertheless, people are all the same human beings with a life to live. As anyone else, people all live a different way of life. Whether the person is disabled or not, people all have different choices within one's own terms given in life. Even then, the passion to live a full life is not any different from anyone in the world.

If people can perceive differences in others as their individuality, then cultural exchange may not be so difficult. In spite of the differences in ideas, skin color, health conditions, people should first understand and accept others as they are. With this attitude in mind, differences would not be seen as a problem. It is okay to be different. Difference makes diversity. Each individual is special and unique.

The next step is to make an effort to understand their personality or ways of life by clarifying what cannot be understood. In order to accept others as they are, people must first accept themselves and perceive themselves as a person who has the right and value to live. Unless people accept themselves holistically as someone with both strengths and weaknesses, good and bad, and loving themselves as they are, people cannot go on living. If people understand and accept others as they are, that they, too, are the same human beings with strengths and weaknesses, good and bad, they need to know that others are just as lovable and capable as they are.

Children Are Lovable and Capable

Every human is born as a lovable and capable person. Each person is a necessary and precious individual, one and the only person that exists in this world. If one is an important existence in this world, then others are equally as important. Others are also necessary and precious individuals. Thus, there is tremendous importance in caring for each other.

People face various stressful events every day. Especially stressful could be human relations. It is hurting to face problems or conflict with someone one loves such as parent, child or spouse. When love is involved, scars could be deep. The scar could get even deeper when one faces other conflicts and problems outside one's own home, at school or at working places.

One may get into an argument with friends, or bombarded with complaints from teachers at school or bosses at work. When one's scar deepens, the lovable and capable self may gradually shrink. Then one may lose confidence, become psychologically unstable, and may even become ill. When these worst conditions occur, some kind of treatment would be needed. Thus, in order to avoid such worst situations, people need skills to remain healthy both mentally and physically to maintain their lovable and capable self. These skills for cultivating a sound mind and body is called communication skills for caring self and others, or better known as conflict management skills. Children can also learn these skills to communicate with others. These skills can be learned from adults. How then, should adults communicate with children?

Improving Communication Skills

How should adults communicate with children? Skills to communicate one's own ideas may vary according to the age and maturity of the child, and adults, whom most children have contact with, are their parents or their teachers at school. Adults may have more skills to talk logically, to think quickly and to explain concisely to the point.

On the other hand, children may think quickly but they may not be able to come up with the words at the same speed. Most adults are impatient and often interrupt and ask questions before the child finishes the sentence. Depending on the adults children have contact with, they can either build or lose confidence and trust. Adults establish the climate that leads children to build good communication habits. Adults are the ones who model children's behavior to promote good communication skills. Effective communication is a step toward happiness. Given below is a check list to reflect on communication behavior taken from a teacher's manual for building peace making skills in the classroom. This checklist may help adults improve their communication skills to have a better relation with children .

1) Do you look children in the eyes when listening to them?
2) Do you try to paraphrase what the children say when you don't understand?
3) Do you avoid repeating children's answers?
4) Do you give praise only when it is deserved?
5) Do you describe their behavior without making judgments?
6) Do you share some personal information about yourself with the children?

7) Do you avoid saying one thing with words and another with your body?

8) Do you wait at least five seconds for children's answers before you prompt them?

9) Do you avoid making interruptions or finishing the children's sentences before they finish them?

10) Do you say "please," "thank you," and "excuse me" when talking to children?

Each behavior given above has a purpose.

1) Looking children in the eyes is a nonverbal cue that you are listening to them.

2) Paraphrasing (listening reflectively) shows that you care enough about what the child is saying, that you want to get it right.

3) If you don't repeat their answers, children are required to speak loudly and clearly the first time.

4) Praising automatically may seem insincere to most children and the praise may lose its power of reward.

5) Describing behavior without making judgments shows your openness to hearing the child's view of things.

6) Sharing some personal information about yourself builds an atmosphere of trust and encourages children to open up and talk about themselves.

7) Body language that does not contradict your verbal language demonstrates your sincerity.

8) Waiting at least five seconds gives children a change to answer

and indicates that you really want to hear what they have to say.

9) Not interrupting children's sentences implies that you think what the children say is important. Such behavior teaches them to be polite.

10) Saying "please," "thank you," and "excuse me" also fosters politeness.

(Kreidler, William J., Creative Conflict Resolution, Glenview, Illinois; Scott Foresman & Company, 1984 (pp.85~86)

Chapter 2
Education for Happiness

Education Promoted by UNESCO

The Culture of Peace

Imagine what the future would be like and hope for a culture of peace. We must pay respect and thank the Earth. Forgive the stupidities human has committed in the past and embrace each other with tolerance. Admit mistakes and learn from them. Wisdom can be attained and humans have the potentials to grow, but every individual has one's own way of thinking. Conflict continues due to differences of opinion and ideas among the people who came from various background and culture. Yet, differences should be respected, and if there is a will to coexist together, then peace may prevail on earth. In order to realize peace, action must be taken from various angles.

Self, others, family, education, community, country and the world, all are necessary to attain a culture of peace. For example, no matter how peaceful the family may seem, if the individuals in the family do not have a restful mind, there is no true peace in the family. In fact, if the family is unstable this would reflect negatively on the community. Observing the problem without perceiving the root cause of it, would be seeing only a fraction of the truth. Without discovering what lies beneath, true culture of peace may not be attained. Then how is "culture of peace" achieved?

The campaign statement of the Hague Appeal for Peace, Global

Campaign for Peace Education states that a culture of peace will be achieved when citizens of the world understand global problems; have the skills to resolve conflict constructively; know and live by international standards of human rights, gender and racial equality; appreciate cultural diversity; and respect the integrity of the Earth. Such learning can not be achieved without intentional, sustained and systematic education for peace.

This culture for peace begins with the fetus in the mother's womb. The education for a culture of peace should begin in early childhood, then continues in family education, elementary school, junior high school, high school, higher education and lifelong education, in various places by various means. As a fetus, education begins in the mother's womb. Mothers need to have a sound mind and body as well as emotions filled with love, compassion and gratitude. In early childhood, parent and child should live with love and peace. A four or five year- old is at a crucial age to experience and feel respect as a human and understand the importance and value of life. Schools should teach the same virtues in school activities or formally in the school curriculum. Besides educational institutions, this education can also be offered in the family or society. Then after the students' graduating from the formal educational system, this curriculum can be provided in adult or continuing education. Thus, newly appointed parents can offer their children the necessary education to attain peace. In other words, a culture of peace can be realized through comprehensive education. A holistic approach is the focus of this education.

The important fact is that all things occur comprehensively. It may sound redundant but once again, observing the problem itself is seeing only a fraction of the whole. At the root of the problem, there are reasons and causes. At the bottom of all lies emotion. Thus, without seeing the emotional aspects that rest deep within, the problem on the surface cannot be solved.

Ways to prevent problems from arising are another possibility to consider and realize a culture of peace. Then, education must begin from training students' emotional feelings. This may be called education of the mind. Values might be embedded in the culture and environment one grows up in. However, virtues are universal. Virtues are what we must respect as humans and protect each other's dignity. This education of virtues leads to the path of happiness.

In its recommendation concerning education, the United Nations Educational, Scientific and Cultural Organization (UNESCO hereafter) lay stress on international understanding, co-operation, peace and education relating to fundamental human rights and freedom. This recommendation was adopted by the general conference at its eighteenth session held in Paris on 19 November, 1974, with the guiding principles stating that education should be directed "to the full development of the human personality and to the strengthening of respect for fundamental human rights and freedom. It shall promote understanding, tolerance and friendship among all nations, racial or religious groups, and shall further the activities of the United Nations for the maintenance of peace." In order to enable every person to contribute actively to the fulfillment of these aims, the following objectives should be regarded as major guiding principles of educational policies:

    a) an international dimension and a global perspective in education at all levels and in all its forms;

b) understanding and respect for all peoples, their cultures, civilizations, values and ways of life, including domestic, ethnic cultures and cultures of other nations;

c) awareness of the increasing global interdependence between peoples and nations;

d) abilities to communicate with others;

e) awareness not only of the rights but also of the duties incumbent upon individuals, social groups and nations towards each other;

f) understanding of the necessity for international solidarity and cooperation;

g) readiness on the part of an individual to participate in solving the problems of his community, his country and the world at large.

Such objectives cannot be achieved without education for peace.

Furthermore, at the international conference on education which was held in Geneva in October of 1994 on the theme of "Appraisal and Perspectives of Education for International Understanding," UNESCO adopted a declaration and introduced the principle that the content of education should be strengthened to form values and abilities, such as solidarity, creativity, civic responsibility, the ability to resolve conflicts by non-violent means, and critical acumen. It also states that it is necessary to introduce into a school curriculum, at all levels, true education for citizenship which includes studies to promote understanding in an international dimension. A curriculum reform should emphasize knowledge, understanding and respect for the culture of others on the national and global level and should link the global interdependence of problems to local action.

The Global Campaign for Peace Education further states that the urgency and necessity of such education was acknowledged by the member states of UNESCO in 1974 and reaffirmed in the integrated Framework of Action on Education for Peace, Human Rights, and Democracy in 1994. Yet, few educational institutions have undertaken such action. It is time for ministries of education, educational institutions and policy makers to fulfill the commitments.

A campaign to facilitate the introduction of peace and human rights education into all educational institutions was called for by the Hague Appeal for Peace Civil Society Conference in May 1999. It is an initiative of individual educators and education NGOs committed to peace. The Appeal is conducted through a global network of educational associations, and regional, national and local task forces of citizens and educators, who will lobby and inform ministries of education and teacher education institutions, about the UNESCO Framework and the multiplicities of methods and materials that now exist to practice peace education in all learning environments. The goal of the campaign is to assure that all educational systems throughout the world will educate for a culture of peace.

Education in the 21st Century

Education opens the gate to success and prosperity. It offers students skills and knowledge required to get qualifications as well as opportunities to contribute to the society. In this competitive world, people believe that good education leads to a good standard of living which brings happiness and financial security. Success is what you win in life: study hard, get good grades, enter a prestigious university and get yourself a job position in a renowned company or institution. Does this promise true happiness?

In 1995, Dr. Daniel Coleman published a book titled "Emotional Intelligence." The book introduces the importance of EQ (emotional quotient) and emphasizes that this EQ matters more than IQ (intelligence quotient) in order to succeed in life and live happily as human beings. The San Francisco Chronicle stated that this research provides important insights into the true meaning of intelligence. The book was a best seller and it serves as a reminder that we have been conditioned only to think and have forgotten to feel. Much too often, people struggle to find happiness through material success, but good emotional management skills bring good feelings to yourself and others. Moreover, these skills can be taught and trained.

In a rapidly changing society, education must go beyond the needs to provide opportunities for the students, who are fit for the talent and aptitude sought by the society. They must train them to establish their own sense of value and self-identity by developing their independent skills to cope with various situations. The trends of the present society is that people in general are losing their moral integrity. Human dignity seems to be disappearing in this world of technological development and social ramifications. Educators, must develop a curriculum that reflects today's global realities. Thus, it is significant for educational institutions to put in more effort towards building a global society where advanced technology and academic knowledge can coexist with humanity and morality.

Moreover, education should endeavor to help students meet these needs of the era to function and contribute within the society by developing the appropriate knowledge, skills, attitude and values. An educator's responsibility is to fulfill this promise. The quality of education should be the focus of the future educational institutions. Raising the quality would mean to fulfill students' needs to be actively and responsibly involved in the world around them. Education should offer students the skills to continue and apply what they have learned to building competence as individuals who can contribute towards social development. Education should also offer students opportunities for self-development and self trust, thus building self confidence and self esteem to be able to see others as fellow members of the same community and respect them as citizens of the same world in which all the people must coexist with each other.

These values, as introduced earlier, were already recommended and stated by UNESCO, the values that are necessary to promote a culture of peace. Six years have passed since this declaration was publicized to emphasize this aspect in a reform, and yet even to this day only a few educational institutions have responded to, or even heeded these basic needs. It is time that an educational institution acknowledged and adopted this curriculum suggested by UNESCO, to offer not only knowledge and qualifications to be competent in society but skills to form values and abilities to become responsible and cooperative global citizens as well as constructive problem-solving negotiators. It is time to seek the truth and to realize love in human service, to take action and lead the path to happiness. The 21st century will be an era of true quality where all living things (humans, animals and plants) coexist with respect for each other; and we must be ready for this change and be prepared to accommodate these needs, to include educational values for international understanding.

Necessary Support in Non-Academic Areas

As mentioned earlier, education must go beyond the needs to provide opportunities for the students and train them to establish their own sense of value and self-identity by developing their independent skills to cope with various situations. This training cannot be accomplished within the academic curriculum offered by educational institutions. Moreover, a comprehensive support system is much needed to deal with various problems. Problems are not limited to individuals or the departments of the educational institution, there are a countless number of problems caused by various factors, thus a "student support system" needs to be established within the institution to resolve and overcome various difficulties. There are different problems in different levels of education. For example, bullying may be one problem found in elementary schools, delinquency may be found in high schools, and "hikikomori"(students with the tendency to withdraw and isolate themselves to be alone) are found in all grade levels. These are problems that involve the school staff, faculty, family, professionals (such as psychiatrist and counselors) and the students. To set an example of the possible problems and measures to solve them, a case of a university situation is introduced below:

University students may be considered as adults, but it is the period that they must go through to prepare themselves to face the realities of the world and acquire the talent and aptitude sought by the society. Besides gaining the knowledge of academic disciplines, they need support to develop skills to lead a decent life not only from the professors of the courses they take, but also from other people on campus.

There are quite a number of students even in university level who are at a loss and do not know how to get their studies done, not because they are lazy. In fact, diligent students are the ones who visit the school counselor's room to ask for advice in writing a good term paper or tips to follow the lectures in class. There are even seniors who cannot write their graduation thesis and the number of students who cannot graduate is presently increasing. There are also students who live alone, away from their family and need support even to live a daily life. Some find it difficult to live in the city and often attacked by feelings of loneliness and alienation. Moreover, these students do not have enough experience in cooking, and yet, they must take care of themselves. The sudden ordeal of self-sustenance they must face away from the warmth of their comfortable "home," may lead them into a state of confusion.

There is also the fact that the number of students who take a leave of absence or officially leave the university program is increasing. The reasons may vary. Those who leave for positive reasons, such as studying abroad or transferring to another university for a change of major, should be encouraged and supported. On the other hand, there are some who leave for reasons such as losing the purpose or motivation to continue studying. It would be extremely regrettable if these students leave without knowing the merits of the university that they have once chosen, applied and accepted.

There are students who do not have the skills to solve even the slightest problems that may develop into a serious situation. For example, students who do not find the means to meet even the minimum academic requirements of the university may fail to graduate in four years. If there are opportunities to have assistance or advice, they may be able to draw out their capabilities to solve their problems. If these students can find appropriate measures to overcome their difficulties, they may be able to retrack their potentials to achieve academic success.

Some young people tend to associate only with close friends and receive limited exposure to the realities of the world. Thus, they lack in necessary communication skills to get their ideas and opinions across to others. This may also be a tendency of the society in general. Moreover, these students seem to lack consideration and respect for others. If they can realize their limits and acquire skills in communicating and caring for others, students may broaden their perspectives and outlook on life. Skills to express themselves logically are important, but it is equally desirable for students to involve themselves with groups of various grade levels and departments, as well as different generations and positions.

In order to meet the needs to solve the problems given above, it is advisable to create an environment to support and guide these students. A student support center or a student learning center is one choice. The objective of such centers is to assist students who seek for advice on student life and those who seek help in academic disciplines. The center can be operated by a team of graduate students and senior undergraduate students who can sit in specific time slots (similar to the counseling room where professional counselors sit in at designated hours). Besides functioning as a care center for students with problems, the room needs to have other purposes. One example would be to use the room as a resource center for colleges and universities abroad. In another occasion, nutritionists and professional counselors can offer mini lectures on health for students who live alone. In so doing, the room would attain multiple purposes and encourage various students to intermingle with each other beyond grade levels and majors, thus offering an opportunity to widen their horizons.

The higher education section of the Ministry of Education in Japan has suggested a new direction to meet the changes and the fulfillment of a university student life. They have published a statement titled "Enriched Campus Life toward Human Development in the 21st century," which suggests universities to reexamine extracurricular education and encourages them to transfer their focus from faculty-centered principles to student-centered principles.

As mentioned earlier, students face various problems from various angles. Some visit the counseling room and research institutes for assistance, but there are many problems that cannot be resolved by the current university system. There are students who need good study habits, others wish to have assistance in gathering information on educational opportunities abroad, or there may also be foreign students who wish to ask for simple assistance. There has been no environment to meet these needs. In other words, a place for a comprehensive support system is required to deal comprehensively with problems that cannot be solved by the current system.

In one word, one of the features of a support room, is "a place to promote maturity."It is a place where diligence, efficiency, and production will not be expected, a place where the students can feel secured to sit "idly" and at the same time, a place to warm themselves up before they attend classes. Moreover, for solitary students, the room can serve as a place to meet and make new friends; for those who need academic assistance, it would be a place to get tutoring service open to all students regardless of status; for others, it can be a place to find partners to work on a project together. Most of all, it is hoped that such an environment would be practice of the university community that offers an opportunity for all the students to graduate with a specific objective.

Practice through Peace Education

In Japan, peace education has well established itself for more than 30 years as education against war and an atomic bomb. The public has received the impression that the focus of learning is on war and peace. Peace education does include this education to abolish war, but the focus should be on a culture of peace. In other words, it covers positive peace that includes education to attain peace within the individual and to achieve happiness.

As introduced earlier, the urgency and necessity of peace education was acknowledged by the member states of UNESCO in 1974 and reaffirmed in the Integrated Framework of Action on Education for Peace, Human Rights, and Democracy in 1994. Yet, few educational institutions have undertaken such action. In such a situation, I was fortunate to participate in the seminar of the International Institute for Peace Education held at the University of Hawaii in the summer of 1993. The seminar has given me the opportunity to learn the importance and necessity of achieving a culture of peace. I was convinced that a culture of peace could not be realized without systematic education for peace and I thought I ought to adopt this in the classes that I teach. Then, how can universities develop peace education in classes? One possibility is to establish a department or design a curriculum that is based on the objectives to achieve a culture of peace, or to adopt them in the existing classes. I myself have included peace education concepts in my English language classes, Comparative Culture classes and Humanities.

Since I teach the English language and English Linguistic Studies, my research centers on language teaching and linguistics. I have employed content materials based on the conceptual framework of the peace education introduced above. The contents I have covered are multicultural education, gender education, environmental education, development education, education for values and conflict resolution. I use resources on community development prepared by OXFAM International, an NGO that has its head office in England. Their video materials that introduce the poverty and inequality of the world and the measures to solve the problems are used to practice English listening skills, then the comprehension questions are used to practice speaking, and the causes and effect of the problems are used in discussions. I also use materials on global education from English textbooks.

For my Comparative Culture class, I use materials from the world studies textbooks to introduce the basic knowledge needed in teaching problems and history of ethnic communities. Based on what has been covered in class, the students do a group project that requires them to do research and oral presentation. The students are to prepare a presentation geared for the audience of third or fourth grade elementary-school children. Thus, it needs to be simple and creative, using diagrams and props. Guest speakers who happen to visit Japan are invited to give a lecture about the current situation and history of their home country. The classes enjoy listening to speakers from abroad such as India and Native

American community. Students commented that they felt like they have been slapped on the face listening to the fact stories of the guest speakers, and others have mentioned that they have been awakened to the realities of the English speaking communities. Learning about human rights, gender, and racial inequality would help students to appreciate cultural diversity and apply them to comprehensive approach to respect the integrity of earth.

As one of the requirements to achieve a culture of peace, the campaign statement of the Hague Appeal for Peace, Global Campaign for Peace Education mentions that citizens of the world should "have the skills to resolve conflicts constructively." I introduce these skills in my humanities classroom and call it "conflict management." The activities focus on communication skills for caring oneself and others and to maintain harmony. This class is based on the conflict resolution course in the peace education curriculum supported by UNESCO. For example, in solving a problem in human relationships, the process includes showing respect for each other; and in order to accomplish a resolution that would benefit both parties, the process requires dialogues and constructive negotiations. It involves communication skills in expressing one's feelings and in understanding the feelings of others. The classroom activities that I conduct are actual practices of peace education to achieve a culture of peace. Procedures in communication skills will be introduced later.

As practices of the university curriculum development, a new department of Global Community Studies was established in April of 2001, at Seisen University, the university where I teach. There, peace education curriculum was formally developed. The main theme of this new department is "human, Earth and the world of sharing." The objective of this department is to nurture women who can contribute to the society with the knowledge to develop symbiosis among people themselves as well as among people and earth with a global perspective beyond countries and ethnic background; and to solve various problems on earth.

One of the main features of this Department of Global Community Studies is that it offers students experiential course work through courses such as Field Studies. Based on the information, theory and knowledge acquired in the classroom, the students actually go out of the classroom to practice what they have learned and then, return to the classroom with the gathered information to present the study results. It is a department that allows students to satisfy their desire to have the experiences they wish to have as well as to pursue their curiosity. This curriculum offers a wide range of subjects. There are two major courses: Global Community and Inter-cultural Understanding. Related Subjects include"Environment and Development," "Structure of World Economics and Poverty," "Area Studies," "Commercial Translations," and "Intercultural Education."Field studies include intercultural experience in communities of foreign residents in Japan in the first year, challenges in volunteer activities in Asian countries in the 2nd and 3rd year. Thus, the special feature of this Department of Global Community Studies is to offer a program that introduces the current situation of the Earth through various subjects offered in the curriculum and experiential training. To build the students basic foundation of knowledge, courses such as "Fundamental Knowledge of Global Citizenship," "Field Study," and "Basic Skills in Communication and Information Technology" are offered Finally in the graduating year, students evaluate the achievement of the goals they have set in the freshman "Study Plan" course and present their accomplishments in the senior "Graduation Presentation" course to master the communicating skills.

In this Department of Global Community Studies, my course on conflict management will start as an elective requirement course offered to the second year students to the fourth years. It is a start of the course that follows the objectives of peace education for a culture of peace. The preamble of UNESCO charter mentions that "War begins in the minds of the people, thus it is necessary to build peace in the minds of all." Furthermore, peace not only describes a state without war, it states that a culture of peace must be found in the daily lives of people. To achieve a culture of peace, individuals must transfer from the culture of war and violence to a culture of peace.

The conflict management course promotes non-violent conflict resolution supported by UNESCO. The class offers skills in resolving conflict or disharmony, strategies to confront problems caused by various conflicts, methods of negotiation, and constructive means to resolve problems. To realize a culture of peace, individuals need to begin by building and maintaining inner peace. Moreover, the emotion of "anger" is analyzed and rules for managing and controlling "anger" are introduced. It is a course to search for a desirable human relation and inner peace.

In the United States, conflict management skills are introduced at early steps of education such as kindergartens and elementary schools. As part of the skill-building activities, students are given a scenario of conflict where two involve in a fight and a third person acts as a peace making mediator.

When conflicts occur due to differences of opinions and ideas, it can be resolved by understanding each other and communicating each other's own feelings and thoughts. It is not an easy task to describe one's feelings to others. Most people are not born with this skill, it requires practice and training. It may be easier to express ideas and be assertive, than to express and control feelings appropriately and constructively. Courses on conflict management can be introduced on every educational level, that is, applicable to any age level according to the level of learners' development. It can also be said that conflict management skills are the starting point of successful human relations. From individuals to community or school, then to one's country, this skill has an important role in resolving war and conflict in the world.

In the conflict management class, the conflict among countries and religions are inspected and analyzed from an interdisciplinary point of view and global perspective. Through this course, students can acquire the problem solving skills demanded by the society and through this practice it is hoped that this course will be an academic discipline. In two years after enrollment, the present freshman students will be juniors and I will be assigned to mentor students who wish to do further research in conflict resolution and hopefully write a graduation thesis in their senior year.

Communication Skills for Caring

Conflict in general means a clashing disagreement of, for example, ideas and interests. Conflict between two countries may sometimes lead to war. Conflict between friends can sometimes break friendship.

Conflict between parent and child can lead to loss of trust for each other.

Resolution means act of resolving or a solution to a problem. It can also mean a statement expressing the feelings, wishes or decisions of a group or an individual. Thus, if we combine both meanings together, conflict resolution provides means for resolving a disagreement of ideas and interests by expressing feelings, wishes or decisions with words that are comprehensible to others. Conflict resolution also involves understanding of others. Conflict resolution involves managing conflicts constructively. One must first seek to understand, and then to be understood. Then, how can one express one's feelings to others so that others can understand what one really wants to say? And how does one show others that he or she understands how others feel?

There is a set of procedures and strategies for managing conflicts constructively. They are:

1. Respecting self and others.

2. Describing and stating your needs and feelings.

3. Listening carefully to other person's wants and feelings.

4. Reversing perspectives.

5. Reaching an agreement.

As mentioned earlier, respecting self and others is accepting each other as lovable and capable individuals. Misunderstanding often occurs because we assume that everyone sees things in the same perspective, namely, the same way of viewing the world and our relation to it. So the first important step is to have the ability to understand how a situation appears to another person and how that person is reacting emotionally to the situation. This ability is called social perspective-taking. Different people have different perspectives. No two people see an issue in exactly the same way. One needs to respect and accept the differences. One needs to learn how to care for others. Perspective-taking improves communication and reduces misunderstandings. One needs to respect oneself and others. To understand this, some group activities are introduced in my class to the students so that they can discover the good qualities in themselves and others.

The class begins by pairing the students and instructing each pair to take turns introducing each other's own strong points and capabilities, or things they like about themselves for 5 to 10 minutes while the other listens attentively and take down notes. The listener must not interrupt the speaker. In doing this activity, students face the difficulty of talking about oneself, more so, when they have to describe their good qualities. The students seem shy in introducing their positive points because they have never thought about them nor even about what they like about themselves. So they cannot think of anything to say. Then I ask them if their mother has ever praised them. I hear comments here and there, "my mother told me that I was a kind person after I took care of my bedridden grandmother for one week during the summer vacation." Or I hear another say "I'm a good cook because I love to eat. Is that a good quality?" There was one instance when one of the older students who happens to have two children and a husband, raised her hand and said, "I don't think anyone has praised me. If I don't do things the way my children and my husband expect me to do, they complain. I cook, do the laundry, clean the house, but all these deeds are taken for granted. It's kind of sad, isn't it?" The majority of the class are eighteen or nineteen years old and most of them responded "What? Oh, we feel sorry for you." Then, she replied, "Don't feel sorry for me, feel sorry for your mother." I added, "You have worked very hard as a mother, a wife and a university student. Your attendance is perfect, no tardies and no absences. I only see you in class, but I see many commendable qualities in you." She smiled and she turned to the class and said,"I suppose your mother has done a lot for you and you may have taken them for granted. I suggest you all go home today and thank your mother." To this, most of the students nodded.

After this, two pairs get together and each pair introduces her partner from the notes each has taken. This time, the students listen to their partner talk about themselves. In introducing their partners, they all seem happy with smiles and laughs here and there. The activities are based on the idea that it would be easier to value and care for others if one can value and care for oneself. When I ask the students for comments at the end of this activity, many respond that they have felt embarrassed listening to people talk about how good they are, but it has also made them feel good. Others say that they felt awkward at the beginning but felt good to find the time to think about themselves. Many stated that they would like to think about themselves more often. I suggest to them that this activity can be done alone in their room, they can record their thoughts in a tape recorder, or write them down on a piece of paper or simply talk to the reflection of themselves in a mirror.

Next, I ask the students of the qualities they wish to have or would be happy to have in themselves. In doing so, I appoint one student to write each quality on the board and another to record them on a piece of paper. Some of the qualities mentioned are: thoughtfulness, health, confidence, courage, effort to accomplish work, tolerance, patience, a big dream, calm composure, trusting others, willingness or ability to challenge new things, responsibility and so on. Then, I inform them that these qualities are all within them. Everyone is lovable and capable. I also remind them that others are just as lovable and capable as they are. That is why we need to care for each other.

Then, I tell the students a story of a girl named Namie, a story written by one of the first students I had when I started this course. I appoint a student to read the story to the class. I stand in front of everyone with a big conspicuous and colorful sign with the letters "LCS" meaning "lovable and capable self." As the students read along, I rip the sign each time when the story gets to the part where Namie gets hurt or simply does not feel good. The story is as follows:

Today is Namie's birthday. But she has an exam to take at school (rip). Namie does not want to go to school (rip) so she was taking her time. Then her mother was upset and said "What are you doing?" (rip) On hearing this, her father complained "You are always so slow." (rip) When she sat down at the dining table to have breakfast, her younger brother came and shouted, "Move your butt, you're in my way." (rip)

Namie finally got on the train to go to school, but she could not find Yuriko, the friend she always commutes to school together. Then, Namie realized that she had completely forgotten the promise she made with Yuriko the day before. (rip)

When she got to school, she asked her,"What happened today? You didn't get on the usual train. I was waiting for you."

Her friend ignored her, kept on talking to others and left her out. (rip)

Today is Namie's birthday, since early this morning no one greeted her "Happy Birthday!" (big rip)

People experience bitter events occasionally, some do even every day. Whenever there are such moments when trust or confidence is lost, the lovable and capable self becomes smaller and smaller, similar to what had happened to Namie. When similar bitter moments occur to children, their whole body droops and they tend to walk with heads down. Thus, they become a tempting prey to bully on. On the other hand, if people are praised or given love, the lovable and capable self gradually grows bigger and people tend to walk with confidence, with their head up high and a smile on their face. In the United States, there are classes to raise self-esteem as part of peace education that helps children to love and value themselves as well as others. In doing so, children can learn to walk with confidence and love for others. Those who once walked with drooping features would no longer be bullied and those who used to bully others will learn the value of life and respect for others.

There are three elements that influence the lovable and capable self (LCS hereafter): 1)The words and deeds others have said or done to LCS. 2)The words and deeds LCS has said or done to others. 3) The words and deeds LCS has said or done to self.

If this LCS concept is compared to religion, an example from a Buddhist perspective would be individual buddha nature, the belief that everyone is born with this nature and therefore all people have the potentials to better themselves and have the qualities of the Buddha, that this nature can be seen in self and in others. An example of a Christian perspective would be to see God live in oneself and in others, thus there can be benevolence and respect in everyone.

Conflicts cannot be resolved unless both parties bring out into the open what they want and how they feel. Everyone has a perfect right to their needs and goals and to expect that other people will treat them with respect and dignity. When there is conflict, one must keep in mind to separate the behavior from the person. The other party's words and deeds must be questioned and not the person, who has the right to respect and dignity and has LCS of his or her own. Thus, conflict needs to be resolved constructively without using verbal or physical violence.

Once love and respect for others have been confirmed, the next step is to describe and state needs and feelings. First, one must identify their wants and feelings, and then, make a personal statement about how one feels about a specific behavior of the person involved and how that behavior affects him or her. This is called "I Contact." Feelings are described through "I Contact" in the following manner: "I (feeling)when you (specific behavior) because (how it affects me)," for example, "I feel sad when you tell a lie because I have trusted you and I think lying is betraying other's feelings." Thus, a behavior description includes a personal statement that refers to I, me, my or mine, a behavioral descriptions statement that includes the specific behaviors observed without judging or evaluating nor inferring the person's motives, personality or attitudes. The problem should be attacked without blaming the person.

After stating one's wants and feelings, the next step is to listen carefully to the other person's wants and feelings. To listen to another person, one must first face the person, listen quietly, think about what the person is saying, and then, show that one understands. Paraphrasing is the keystone to good listening. Paraphrasing is restating in one's own words, what the person says, feels, and means.

Reversing perspectives is to confirm if one understands the others statement and vice versa, if the other party understands what one has stated. Each person has a different perspective and that is why misunderstandings often occur because one assumes that everyone sees things from the same perspective as one does. For example, the "I Contact" sample could be confirmed by the other party in the following statement, "Do you mean that If I tell a lie you feel sad because you trusted me and you think that lying is betraying?"

To reach an agreement, options should be invented for mutual benefit. Agreement is not a competition and there are no losers. Agreement should make both parties involved as winners by searching for mutual gains.

In my class, students are divided into small groups to do a problem-solving simulation activity that covers all the steps mentioned earlier until the group comes to an agreement. Then, I explain that they should experiment this procedure in a real life situation. Even if the students do not actually use this process to confront the other party, they can follow this process on a piece of paper so that they can clarify, analyze and understand how they feel, why they felt that way, and what they can do about it.

Given (see chart on the nest page) is a form called "Bridge to Understanding" with an example of how it should be filled in based on Namie's story and her friend, Yuriko.

In this way, conflict resolution is accomplished through problem-solving negotiations. In the present society, one often comes across a

BRIDGE TO UNDERSTANDING
理解への掛け橋

Mediator（仲裁人）_____   Date（日付）_____

	PERSON 1　私　（Namie）	PERSON 2　相手　（Yuriko）
WANT 要求	I don't want you to ignore me and leave me out when you talk to other friends.	I want you to keep your promise.
FEEL 気持	I feel lonely.	I thought you betrayed me.
REASON 理由	I was not late purposely. I felt bad that I was late and I wanted you to forgive me. I did't want you to exclude me out of our group of friends.	I thought you were purposely late. I was sleepy but I wanted to study together with you and I wanted to keep our promise so I made an effort to get up early.
UNDERSTANDING OF YOU 理解	Yuriko, you made an effort to get up early to get on an earlier train because we promised to do so, but I wasn't on it and you felt let down.	Namie, you were not purposely late, and you felt bad that you were not able to keep our promise.
THREE OPTIONS TO RESOLUTION 三つの選択	1) I did't know you felt let down, I am sorry. 2) I will keep our promise the next time. 3) I want to remain friends with you forever.	1) Namie, I did not know you were doing your best, I am sorry I excluded you. 2) The next time I feel let down, I will ask Namie what had happened. 3) I want to remain as friends with you forever.
AGREEMENT 合意	We will trust each other and when problems occur, we will contact each other and talk about it. I am truly sorry I did't understand your feelings. Let's be friends forever.	We will trust each other and when problems occur, we will contact each other and talk about it. I am truly sorry I did't understand your feelings. Let's be friends forever.
SIGNATURE　印		

win-lose negotiation. The goal of this type of negotiation is to gain advantage over the other person. The purpose is to win. On the other hand, the goal of a problem-solving negotiation is to negotiate in a way that would benefit everyone as much as possible. It creates a win-win situation that improves human relationship and the ability to work together. Once one learns the skills to be peacemakers, it will help everyone to feel better and attain peace within themselves.

Thus, factors that lead to happiness introduced here are (1) environment that offers children to grow as lovable and capable persons, (2) education to teach children the values of a culture of peace, (3) education to help adults become responsible citizens and (4) education to learn communication skills for caring and negotiation skills for resolving conflict.

Ordeals in life may make this path to happiness very challenging. It may be a long and winding road that may require many months or even years. In spite of the difficulties, one must start walking towards happiness somewhere in one's lifetime. If this book could serve as a starter for many, it is certainly hoped that many would fine peace and happiness within themselves.

It is believed that interpersonal happiness will bring forth inter-group happiness and this in turn will hopefully bring happiness to the world.

An Approach to Happiness

Living in the Moment

an abridged translation

by Haruyo Masuda

The Formation of Life

Of all the life forms generated on this earth floating in the vast cosmos, we human beings are thought to be the most highly evolved. Dinosaurs and many other forms of life have become extinct. Why is it that humanity has been able to continue to thrive? Is it not because we, unlike other living things, have spirit, or soul? The spirit of consideration for others, the spirit of kindness, warmth, and service, the spirit of aspiration, the spirit of coexistence and coprosperity with nature. For humanity, the birth of life is the birth of the spirit. The development of the spirit blessed by nature has been an important element in the evolution of humanity.

Today's greed-driven materialism and preoccupation with efficiency, however, leave no room for development of the spirit. I fear that modern civilization and its destruction of nature, having forgotten consideration and coexistence and coprosperity, will eventually lead humanity to self-destruct. The time has come to think about the value of life and development of the spirit.

Ancestors

According to the Old Testament, the first human being created by God was Adam, and his wife was Eve. If so, everyone born since then belongs to one family. From the time of our most distant ancestors to the present and on to the future, all human beings are linked on a continuum.

I first became aware of this when I began looking into the ancestry of my husband's family. Until then I had been totally oblivious. When I investigated the background of a certain distant relative, I found that one ancestor had been a warrior of the Toyotomi clan who had managed to escape after the clan's defeat at the Siege of Osaka Castle in the early seventeenth century. He became a swordsmith, and his descendants had continued in professions related to smithing. This relative was now engaged in the automobile-parts business. When I learned that my husband's family had been makers of flower scissors and now sold implements and utensils for flower arrangement and the tea ceremony, I was both amazed and moved.

For the most part we live without thinking about our ancestors, but I learned that I am alive today because I had ancestors who lived wholeheartedly and wished for the happiness of their descendants.

Parents

I exist because my parents did. This is something I always took for granted, but then my parents passed on. I am now deeply sorry that I did nothing to honor them while they were alive. Now that I can understand the feelings of my father and mother and their love for their children, I am inexpressibly grateful to them.

In particular, when I recall my mother putting everything she had into being a wife and mother, I feel that she is showing me the way to live as a woman. She gives me the courage to overcome the myriad problems and hardships accompanying pregnancy, childbirth, and child care that only women know.

When I think of the boundless love of my parents and their desire for my happiness, I wonder how I can repay them. Can I do so, perhaps, through the love I now give my daughters?

For Future Happiness

Whether one can live a happy life is often determined by the happiness or unhappiness of those in one's near orbit. For example, in a family where the father and mother are at odds or where the mother carries around a major worry, the children bear heavy physical and mental burdens. I myself regret that in the past my own anxiety made my children prone to illness.

For the sake of our future happiness, we should take another look at our own existence and live positively and wholeheartedly. And we should strive to understand others and to maintain mental equilibrium. This is what leads to a happy home. If there were more families in which husband and wife, parents and children, showed one another loving respect and trust, the result would be peaceful communities made up of such families. The chain of happiness progressively links families, regions, and nations in peace. World peace begins with happy lives and peaceful families.

Ties Between People

No one lives in isolation from others. Human society is built on mutual support and mutual help. And individuals are society's constituents. Society comprises individuals linked to one another.

Once upon a time household chores were divided up, with children assisting their parents and siblings helping one another. Through parents and children, brothers and sisters, sharing joy and suffering, children grew both as individuals and as family members. That was also the way children learned about ties between people in society. I feel that, thanks to the development of civilization and the spread of household appliances, parents and children no longer help and support one another at home.

In the twenty-first century science and technology will no doubt develop still further, but the importance of ties between people, the bedrock of society, will not change. For precisely this reason, we must become aware of the importance of these ties by first helping and supporting one another in the family.

Education in Humanity

The key to happiness, for both the family and society, is education that fosters humanity. Moreover, this can be done only in infancy and early childhood.

Development of the brain is most vigorous in the first five years of life, said to be the crucial period for character formation. Whether one becomes someone of mental and emotional abundance is determined during this time. When the adults who interact with children treat a child with heartfelt love, they develop that child's brain. This also fosters kindness, consideration, and emotional stability.

I firmly believe that if parents with small children rear them with understanding of the importance of nurturing the heart and mind, this will lead eventually to world peace and happiness.

Having a Happy Heart

When a family includes someone with a happy heart, the whole family benefits. Someone with a happy heart is tolerant and lives cheerfully, thinking positively. There are also people who are the opposite. They cannot trust others, make a fuss over little things, and look at things negatively.

Everyone possesses both a happy heart and a heart that is not. I suppose it is a matter of which is stronger. I would like to see us try to become capable of always bringing a happy heart to our encounters with others. Especially in the context of family life, I would like to see us strive to show our children a smiling face even when things are hard.

In the course of living, we influence one another. Trying to maintain a happy heart makes our family and others around us happy, and that in turn brings us daily peace and cheer and gives us a better life.

Emotional Balance

All of us have relationships with people who give us orders: parents in the family, teachers in school, bosses in the workplace. If we feel we are being compelled to obey, we build up a heavy load of stress, and personal relationships suffer.

To avoid this it is important that, rather than see parents, teachers, and bosses as strong and ourselves as weak, we look up to them as our seniors in life. Our parents have made sacrifices to bring us up. Our bosses have devoted years of hard work to the company. If we can understand the distance our seniors have traveled, we should be able to respect them.

Giving priority to what is important to our seniors in life is only natural. This also helps us build up experience. Let us maintain emotional balance by changing our mind-set.

Recharging Mental Batteries

Whenever there is a major life change, we all feel strained and fatigue builds up until we adjust. Because the pace of daily life alters, we feel unsettled. In extreme cases we fall ill.

When I started nursing my mother in law, I would use up all my energy during the day; often I was unable to cope with her needs when she took a turn for the worse at night. What helped me extricate myself from that plight was my realization that it was important to pay attention to physical and mental control.

I learned the limits of what I could do, and instead of depleting my energy each day, I held a little in reserve and tried to recharge my physical and mental batteries. As a result I was able to make nursing my mother in law part of my everyday routine.

Acquiring this attitude to life is necessary if we are to be able to adapt to a new environment and deal flexibly with changed circumstances.

Understanding One Another

Disputes over even trifling matters leave us out of sorts. Basically, human beings do not like discord. Why, then, do disputes occur? Often it is because we have not tried to understand the other person's thinking. Convinced that our own thinking is right and the other person's is wrong, we become emotional. We forget that people have different ideas of what is the norm and different values.

When we talk with someone, even someone close to us, we need to be aware that we are two different people. We need to make an effort to understand the other person's position, values, and viewpoint and bring the other person to understand ours. Understanding one another is even more important when dealing with strangers and foreigners. Mutual understanding is the most important way of preventing disputes.

A Gender-Equal Society

While there are individual variations, generally speaking men and women differ in physique, physical strength, and temperament. Each sex has its own special nature. Men and women alike should understand the nature of both their own and the opposite sex. Many tragedies arise from insufficient knowledge and understanding of the opposite sex.

First and foremost, it is important for husband and wife to be aware of the nature of the opposite sex and view both sexes as equal. In particular, women have the mission of bringing new life into the world. I want men to understand this crucial role well.

Social institutions are shifting us from a male-supremacist society to a gender-equal society, but even if institutions and treatment assume equality, a society in which individuals are aware of the nature of the opposite sex and regard both sexes as equal still lies in the future. If we are to achieve this, it is important that we women take the initiative.

Stress and Dreams

It is said that stress is the cause of many ills of people today. Stress arises because of our mental rejection of what we dislike. If so, it is important to think about what it is that we dislike.

The person who undergoes stress is oneself. It seems to me that if we ask ourselves what is causing our stress, what we dislike and why, and deal with things on the basis of this analysis, we can alleviate stress.

Another thing that helps dispel stress is dreams. A variety of problems beset us: tensions at home, accidents, illness, and more. If we have a big dream, the will to realize our dream can arm us with the energy to face and deal with our very real problems.

Having a dream means continuing to wish for it even if we think it can never come true. The more difficult the dream, the greater the joy when it is realized.

Realizing Dreams

One of the things that have sustained me in adversity has been having a dream. Well over twenty years ago now, when I had a prolonged disease of the legs that made walking difficult, what saved me was my dream of one day visiting the Himalayas and Dunhuang on the Silk Road. It was this dream that enabled me to persevere with the long hours of practice in walking.

Fifteen years after being struck with disease, I visited Nepal and was finally able to see the Himalayas with my own eyes. I was deeply grateful to the Himalayan mountains for giving me emotional support during the difficult days when I endured severe pain and worried that I might never be able to walk again.

The dream of visiting Dunhuang, sparked by reading Yasushi Inoue's novel of that name, enabled me to forget the stress of combining housework, child care, and work. After more than twenty years that dream, too, came true. The star-spangled night sky arching over the Gobi Desert was indeed a dream world.

Living in the Moment

Only you can create your own future. It is you who determines tomorrow. The way you live this day, moment by moment, creates your tomorrow. I believe that having a big dream for the future and continuing to hope and work to realize it is the answer to the question of how to live today. This means continuing to work patiently to achieve your objective, never blaming others for your failures and never giving up.

Let us live this day in the wish to bring happiness to others and contribute to society in some way. Let us live each day with peace of mind and generosity of spirit.

AFTERWORD

Finally *An Approach to Happiness* is being published. Kathy Matsui and I are truly happy to see our long-held wish fulfilled. In the course of our daily lives as women, as wives, and as mothers, we had come to think that society would be enhanced if people were more aware of the special qualities with which women are endowed.

Women's special qualities, it seems to me, include kindness, all-embracing warmth, and generosity of spirit. The family and society are built through interactions between people. Women's special qualities have a huge role to play in improving the family and society. The two of us would often talk about this.

How wonderful it would be if women could interact with others in the family and in society with awareness of these special qualities. People's hearts would be full of warmth, kindness, and consideration; hope and courage to live would well up, and the future would brighten. It is important to start putting this into practice at home, with those closest to us. If the heart of the family is happy, the hearts of women themselves will be happy, and that happiness will be transmitted from person to person.

We tend to think that happiness means fulfilling our wishes. But the instant one wish comes true, the next one springs up, and then another and another. Happiness remains forever beyond our reach. It is also troubling that those wishes tend to be for material things. How many people think getting something they want will make them happy! But it is human nature to value what you have gained far less than what you do not yet have. The value of material things is limited and soon loses its gloss. In addition, the only relationship we establish with such things is that of possession or use. This is what differentiates it from our relationships with living things. It is through our relationships with living things, especially people, that we ourselves grow and can also change those with whom we interact.

We need to be especially aware of this when bringing up children. Enveloping children with a rich heart, kindness, consideration, and warmth enriches children's hearts, as well. If we are to bring up children who will spearhead the twenty-first century and make the society in which they will act brighter, surely living in such a way that we value one another's feelings through our encounters is more important than anything else.

The family is the foundation. Everything starts with us women having the courage to strive to cultivate heart-to-heart communication within the family, living each day afresh. Surely that is the best approach to happiness. We must not give up because we feel that this is impossible in our own family. Taking up the challenge creates tomorrow's happiness.

We hope the approach of nurturing an abundant spirit in one another beginning with the family will ripple outward to the community and then the world, bringing about the peace and happiness that are humanity's perennial wish. This is not a mere dream, if women become aware of their own special qualities and begin acting in such a way as to help other people gain happiness. Our wish is that this book will lead women to think for themselves about what is blocking happiness and what is important to do at this time. We end this afterword with the wish for the happiness of the children of the future.

Finally, we wish to thank the New York-based art critic Koji Ichida for his invaluable help in making publication of this book possible, as well as Hideyuki Ando, president, and Yoshiko Tatsuno, editor in chief, of the publisher Ribun Shuppan Co. Ltd.

Haruyo Masuda

September 2001

Personal Data

Kathy R. Matsui
Seisen University, Dean of Student Affairs, Professor
Department of Global Community Studies

Publications
1) Research Papers focus on English Language Learning, Sociolinguistics and Peace Education
2) Textbooks and Teaching Materials mainly on English Language Learning Such as: "Step-up Interactive Listening" (Collaboration) , Tokyo, Kinseido, 2000, and others.

3) Various Essays for research magazine Seisen University, Research Institute of Cultural Sciences;
   "The Medicine Path",
   "Pidgin English in Hawaii-Western Colonialism",
   "The Rode of Higher Education in the New Millenium."

Presentations at International Conferences
1) "The Impact of English in Japanese Children's Communication Domains- Teaching English to Juniors: What Can Japanese Children Do with Their English"
2) "Materials Development for Interactive Listening", Aug., 1999, Waseda Univ.
3) "Global Cooperation for Peace Education" (International Conference of NGO's 1999 Seoul, Korea)

Activities
1) IIPE, Steering Committee for International Institute for Peace Education, July, 1996, International Christian University, Tokyo, Japan.
2) Japan Committee - Global Campaign for Peace Education, Hague Appeal for Peace, established in October of 2000.
3) IALRW (International Association for Liberal Religious Women), Vice President, July 1999-Present.
4) "Conflict Management Skills Seminar" for Parent Teacher Association, Shiomidai Middle School, Dec., 1998
5) "Conflict Management Skills Seminar" CWAJ (College Women's Association in Japan), Sept., 1999
6) "Conflict Management Skills Seminar"-Ogilvy Advertisement Agency, Feb., 1999
7) NPO-Breeze of Hope Volunteer Organizing Committee
8) Oxfam International - Friends of Oxfam Committee for establishing liason team in Japan.
9) Education for Parents, Study Group at the House of Councilors.

著者紹介

松井ケティ（まつい けてぃ）
清泉女子大学文学部教授（地球市民学科）学生部長

主な活動
研究論文は主に英語教育、社会言語学、平和教育などのテーマに基づくもの、教材の他、エッセイなど多数。
1) "Step-up Interactive Listening"（ステップ・アップ・インターアクティブ・リスニング）：教本―基礎から応用へ― （共著）金星堂 2000年1月
2)「アメリカン・ビューテイ―映画で覚える英会話―アルク・シネマ・シナリオシリーズ：キーフレーズ便利なフレーズを覚えよう」(株)アルク 2000年4月、他多数。

口頭による発表
1)「英語における日本の子ども達の伝達機能―子どもの英語教育」（日本「アジア英語」学会　1999年6月清泉女子大学）、他多数

学会における活動
1) IIPE 平和教育研究所日本大会準備委員月1996年7月国際キリスト教大学
2) ハーグ平和アピール―平和教育グローバルキャンペーン平和教育カリキュラム状況調査日本代表 委員2000年10月、他多数

社会における活動
1) IALRW(International Association for Liberal Religious Women)副会長1999年7月～現在
2) "Conflict Management Skills Seminar"（母と子のコミュニケーション法）-横浜汐見台中学PTA講演会1998年12月
3) "Conflict Management Skills Seminar"（コミュニケーション法に基づく寄りよい人間関係）-CWAJ 講演会1999年9月
4) "Conflict Management Skills Seminar"（オフィスでの人間関係）-Ogilvy Advertisement Agencyにて集中講座1999年2月
5) NPO風の船ボランテイア活動運営委員
6) Oxfam International - Friends of Oxfam. オクスファム日本立ち上げ準備委員会
7) 親学研究会 、他多数

幸福への
アプローチ

An Approach to Happiness
by
Kathy R. Matsui and Haruyo Masuda

益田晴代・松井ケティ

里文出版

● 目
次

まえがき　　　　　　　　　　　　　　松井 ケティ ……… 6

幸福へのアプローチ
今を生きる　　　　　　　　　　　　益田 晴代 ……… 11

第1章　命への感謝

命の成り立ち ……………………………………… 13

先祖 ……………………………………………………… 16

父と母 ………………………………………………… 21

第2章　幸せに生きるために

幸福とは ………………………………………………… 24

自分のあり方を確立する ………………………… 26

人間性教育──胎教から幼児教育 ……………… 30

家庭不和と子どもの病気 ………………………… 35

相手が見えない …………………………………… 39

人と人との結び合い ……………………………… 42

第3章　心のコントロール

幸せな心になりたい ……………………………… 47

目上の人とのかかわり方 ………………………… 52

常に心の充電に努めよう ………………………… 56

相互理解をすすめよう …………………………… 59

第4章　今を生きる

夢がストレスをなくす …………………………… 64

ヒマラヤ …………………………………………… 69

敦煌 ………………………………………………… 73

今を生きる ………………………………………… 77

幸福へのアプローチ

愛と可能性を育む教育　松井 ケティ……81

はじめに …………………………………………………………………83

第1章　幸福への環境 …………………………………………84

幸福から遠ざかる落とし穴──大人の勘違い ……84

子は親の所有物ではない　84

「問題児」として子どもを見る事が問題事　89

幸福への環境作り …………………………………………95

核家族より村中で子育て　95

違いは個性として見る　98

子どもの本質は愛と可能性に満ちている　103

子どもと話す大人の態勢　104

第2章　幸福への教育

ユネスコが紹介する教育 …………………………………………………… 108

　ユネスコが呼びかけている平和の文化とは　108

　ユネスコ憲章前文　112

二十一世紀の教育 ……………………………………………………………… 115

　教育やカリキュラム以外のサポートが必要　119

　平和教育（Peace Education）で実践　123

　自分と他者を慈しむコミュニケーション法　130

あとがき　　益田晴代 …………………………… 142

カバー絵・森本江利子

挿　画・益田有希子

まえがき

松井ケティ

真の平和と幸福は心の中から始まると思います。だとしたら、ストレスや苦しみが潜む現代社会に住む私たちは、どのように心の中を平和にして行けるのでしょうか。どのように幸福を手に入れるのでしょうか。

このようなテーマで益田晴代さんとお食事をしながらよく語りました。益田さんの人生の中で色々な出来事を乗り越え、そして得た自分の平和と幸福論を多くの方々に読んで頂くことで、その方々も幸せになれたらと私たちは願うのです。

そして、私が研究する学問の中に幸せになれる方法論を取り入れ、多くの方々に実践していただき、心の中に平和と幸福を獲得していただけたら、周りに良い影響を与え、社会が平和と幸福になり、そうなれば国にも広がって行き、やがて世界の平和につながることを願っております。

私はあえて子どもと親子の環境、そして子どもと親子の教育にこの本のテーマをおき

6

ました。子どもが育つ環境とその環境作りにかかわる大人の関連を紹介し、将来の大人を育てる環境の中で、子どもの教育はどのような役割があり、何を実践して行く必要があるかを考えました。日本文と英文を書かせて頂きましたが、まったくの翻訳ではありません。主な内容は同じですが、各々の文化にあわせて、ところどころ違う内容になっております。

この本の内容に影響を与えた下さった方々をここで紹介したいと思います。私のアフロアメリカンの友人は一九五〇年代アメリカの南部で育ち、奴隷制度がない時代に生まれのにもかかわらず、奴隷に近い扱いを受け、コットン畑で学校にも行かせてもらえず一日中働きました。そのような環境の中で、彼女は自分を常に大切で価値ある者だと勇気付けて来たそうです。自分を大事にするということは神に頂いた体、精神、そして心を健康に維持して行くと信じているのです。現在、六十歳近くなって大学院で修士を得て、博士を取る勉強を始めようとしています。その姿を見ているととても勇えてくれます。いかなる苦しみの中でも、自分の中に平和と幸福を保っている姿がとてもまぶしく感じる時があります。

また、私が所属する大学には宗教哲学、インド哲学や言語学を専門に研究に励んでお

られる教授がおります。私が尊敬するこの先生は最近大学の雑誌に書いたエッセイ「共生から共楽へ」の中で「共楽」という言葉を初めて使いました。平和や共生を超えて、この共楽が「二十一世紀において明るい理想社会の実現」であると述べておりました。この「共楽」とはまさに、幸福の社会を皆で楽しむことをいっているように思えます。幸せは自分一人に来るだけではなく、自分の周りの人たちも幸せになってこそ真の幸福といえるでしょう。

　幸福は全て総合的な条件がともなって初めて成り立つと思います。だから、命の源の全てが関連するのです。先祖、家族、自然、環境、それと神仏によって私たちは生かされていると感じます。自分が各々とのかかわりかたによって幸福を呼び寄せると思います。

　生きるということは様々な厳しい試練を乗り越えることかもしれません。試練は人生に味を付けてくれる香辛料かもしれません。幸福を得るには長い年月がかかるかもしれません。困難から学び、一歩一歩幸福へ近付くのではないでしょうか。この、一歩前進の人間教育や幸福への処方箋をこの本で紹介したいと思います。

　幸福な社会を築くのに時間がかかっても、今の日本ではとうてい無理であっても、ど

8

こかで始めていく必要があるとしたら、この本をお読みになった方々から始めることを祈っております。

二〇〇一年九月

幸福へのアプローチ

今を生きる

益田 晴代

第1章　命への感謝

命の成り立ち

　私たちの命はどこから来たのだろうか。これからも人間は地球上で生き続けていけるのだろうか。毎日を忙しく暮らすなかで、ふと考えることがある。

　子どものころ小学校の授業で、生き物には命があること、人間のかかわりでその命を生かすことも殺すこともあることを、ウサギの飼育を通して教えられた。校庭の隅のウサギ小屋で、ウサギたちの命を保つためには毎日えさをやり、フンの掃除が必要なことを説明されたことを覚えている。

　けれども不思議なことに、人間にもウサギと同じように命があること、その命の大切

さ、生きつづけるためにしなければならないこと、してはいけないことがあるということを、教えてもらった記憶はない。何かの説明があったのかもしれないが、私の記憶には残っていない。

私は、今自分がここに存在することを改めて考えてみた。

人間が地球に生まれてから今にいたるまで、たくさんの先祖がいて、両親がいて、今の自分がある。そのことを真剣に深く考えると、人間の生きてきた時間のなかに脈々と続く血縁というものがあることがわかる。そして、私たち人間も地球に生きる自然界の命の一部であると強く感じさせられるのだ。

広大な宇宙の中の地球、その地球に生まれた生命体の中で、私たち人類は最も進化した生物だといえる。

地球が生まれたころ、生命といえるものが存在しなかった太古の昔から数十億年もの時が過ぎ、海中に生命が生まれ、水のなかの生物はやがて両生類から恐竜に代表される爬虫類へと進化し、ヒトにつながる哺乳類が現れたといわれる。気の遠くなるほどの長い進化の歴史があって、現在のヒトの形の人間がこの地球上に現れたのだ。

14

それからさらに何十万年もの時を経て、人類は現在まで生き続けている。恐竜でさえ絶滅した環境にあっても、人類は粘り強く適応し、現在まで種を存続させている。

人間は、自然界の厳しさに立ち向かい、あるいは恩恵を受けるなかで、心──知識・感情・意思を発達させてきた。自然と共存共栄する知恵、喜び、悲しみ、勇気、人間同士の思いやり、優しさ、向上心、貢献心など、心の発達が人類に繁栄をもたらした大きな要因だと思うのである。

人類にとって一つの命の誕生は、一つの新しい心の誕生といえると思う。

昔も今も、人間の命の誕生は、たくさんの中から勝ち抜いた一つの精子が、卵子と結合することから始まる。そして、女性の胎内で育まれた命は約十カ月後に産声をあげ、この世に生まれ出る。貴重な一つの生命が誕生することを、誰もが厳粛に受け止めるべきである。いま私たちが存在しているのは、自然界の摂理によって地球上のさまざまな生き物の、数限りない命の誕生と死があってである。

ところで、現在、地球の自然が人間によって破壊され続けている。大気汚染、森林伐採、オゾン層の破壊、そして地球温暖化。科学技術の発達と消費社会のなかで深刻化していく自然破壊を、どうやって止めたらよいのだろうか。現代に生きている人間は豊か

先祖

　先祖への想いをつづってみる。

　私がここに存在しているのは、両親、祖父母、曾祖父母……と、たくさんの先祖たちが存在していたからである。わかり切ったことではあるが、忘れがちなことでもある。

　日常生活の中で先祖たちのことが語られることはまれである。旧約聖書で神の創造した最初の人間はアダムで、彼の妻はイヴである。この考え方に

　な物質を求め、楽に何かをすることを優先させる。この物質至上主義、能率第一主義の社会では、自然と共存共栄する心、人間が互いに助け合って生きていく心の発達は望めないように思える。このことに私は不安を覚える。

　人間も地球の自然の一要素であることを忘れてはいけない。自然との共存共栄の心を忘れた人間は、人間自身をも破壊し続け、人類を破滅へと導くように思えてならない。

　私たちの子どもの未来の命が、地球の自然のなかで育まれるように、人類の破滅を防ぐために、人間の命の成り立ちをすべての人に改めて考えていただきたいのである。

基づけば、現在の人間の先祖はみなアダムとイヴの子孫ということになる。

確かに人間は、先祖をたどっていくことが可能ならば、誰でも人類が出現したころの時代にまで遡っていけるに違いない。私の先祖も、日本の歴史のなかのどこかにいたのは確かなことである。

では身近なことで、わが家のルーツは？　ご先祖様のお墓はどこ？　などと考えてみたときに、わずかな記憶があるだけで詳しいことは何も知らないことに私は気がついた。

玉川上水にあるわが家のお墓には、夫の祖父祖母をはじめ、血縁の人々の名が墓誌に刻まれている。祖父母の時代の親族の名前なので、私にも知っている人がいる。でも祖父と祖母がどこで生まれて育ったのか、祖父の父親と母親はどんな人だったのかを知る手がかりは全くなかった。

姑が健在だったころ、話のなかに時折出てきた「大阪の堺の芳信さん」という名の人のことが遠い記憶から思い出される。この人は、私の記憶では本家筋の当主だったはずである。

この人を訪ねたら、先祖のことやお墓のことなどがわかるかも知れないと思い、連絡をとることにした。夫に「堺の芳信さんの住所ってわかります？」と尋ねると、「いや、

知らない」との返事。

考えてみれば夫の両親が健在のころから、「堺の芳信さん」と私たち夫婦とはなんのつきあいもなかったのだ。夫が知らないのも無理はない。それ以来、ことあるごとに親戚の人たちに、「堺の芳信さん」のことを聞いてみたが、私と同世代の親戚で知っている人はいなかった。

親の世代の親戚はもう周囲にはいなかったのであきらめかけたころ、知人が私に教えてくれた。

「堺の市役所に問い合わせをしてみたら、わかるかも知れないわよ」

そういう方法があったのかと、早速問い合わせをしたところ、期待以上の成果があった。そのとき、親切に対応してくださった堺市役所の担当の方に心から感謝している。

「堺の芳信さん」は、やはり堺市に住んでいた。ご本人はすでに亡くなられていたが、奥様はご健在で、ご長男が現在の戸主であった。

早速電話をしてみたところ、先方はびっくりしたようだが、たいへん喜んでくれた。奥様に夫の両親が亡くなったことを告げると、とても悲しんでおられた。私は長いご無沙汰をお詫びした後、先祖のお墓参りをしたいと申し出た。

18

ある夏の日、とうとう念願が叶い、私は娘と二人で大阪に向かった。新大阪駅には芳信さんの奥様が、グリーンの洋服を着て出迎えてくれることになっていた。初めての対面に目立つようにとの優しい心遣いであった。

高鳴る胸を押さえて新大阪駅に降り立ち、出口でグリーンの洋服をみつけたときの感動は言葉ではとてもいい表せない。車に乗って堺のお宅に向かう間の一時間の早かったこと。今は亡き懐かしい人々の名が次々と話題にのぼり、血縁が結ぶきずなへの不思議な暖かい思いが、私たちを包み込んだ。

会話を重ねていくうちに、先祖のことが次第にわかってきた。先祖の一人は戦国時代、豊臣方の武士だったが、大坂の陣で豊臣方が破れた後、堺に落ち延び、刀鍛冶で生計を立てていたという。

その子孫が代々刀鍛冶の仕事を受け継いでいった。そして時代の流れとともに生活も変化し、刃物鍛冶の仕事はそれを基にしながら変化し、現在は自動車部品の工場を営んでいるとのことであった。

わが家の現在の家業も、やはりこの刃物鍛冶の流れから来ているのだった。大阪から東京に出た夫の祖父が、華道の花鋏を作る仕事をしたことが、わが家の家業である華道

茶道御道具商を始めるきっかけであったことが、その時はっきりとわかった。

二十一世紀に生きる私たち家族の生活を支える仕事のルーツは、遠い戦国の時代の先祖である大坂の陣に破れた一人の武士にまで遡ることができたのである。

本やテレビドラマで見る大坂の陣の激しい合戦を思い浮かべ、そこで戦った武士の一人に私たちの先祖がいたということに驚きと深い感銘を受けた。

とうとうたどり着いた墓所の墓石に先祖代々と彫られた文字は、涙でかすんでよく見えなかった。

「ご先祖様、有り難うございました。永いこと、何も知らずに本当に無礼をいたしました」

念願の墓参に、娘とともに深く頭を下げて感謝とお詫びを申し上げた。

過去がずっと続いて現在があり、また現在が未来に続いていくことを実感し、心に刻み込んだ一日であった。

私たちは普段、先祖のことなど何も思わずに生きているのだが、実は子孫の幸せを願う心と必死に生きてきた先祖の歴史があって、今の自分がここにあることを教えられたのだった。

父と母

父と母について改めて考えたとき、私の心は落ち着かなくなっていった。両親を想う自分の心に物足りなさを感じ、それが日を追って強く心のうちに疼いてきたからである。

それほど両親に対して、親孝行などといえるようなことをしなかったのである。

両親の素晴らしさがわかるようになったのは、父も母もすでにこの世にいなくなってからであった。

自分が成人し、結婚し、出産と子育てを体験して、やっと両親の生きた道程がわかるようになった。自分が生きることの苦しみをさんざん味わって、はじめて両親の生きた苦しみがわかってきたのである。親の有難さというものを、親が生きているときには気づきもしなかったのだ。

毎月十五日は父の月命日である。壁にかけた両親の遺影に目を向ける。本当になつかしい、遠い、遠い過去に思いをはせる。長女である私をとても愛してくれた父だったのに、愛されたことに感謝するどころか、当たり前としか思わなかった。どのように、両

親へのお礼を返したらよいかわからない。自分の愚かさをしみじみと思う。同性として母のことを思うとき、私をこの世に産んでくれたことに感謝したい。

当たり前のことではあるが、すべての人は父親と母親が存在しなかったら、この世に誕生することはできない。特に母親が胎児を育む十カ月の間は、医学の説明を越え神秘的なものさえ覚える。母親の命がけの妊娠、出産なくしては、誰もこの世に生まれることはできないのである。

私はかつて、妊娠、出産、子育ては、女性に生まれれば当然のことだとか、女性の役割なのだと簡単に考えていたのだった。自分が経験してはじめて、母が初めての妊娠にどんなにたいへんな思いをしたか、子育てにどんなに苦労をしたか、母として妻として何に苦しんだのかがわかったのである。

母が必死に生きていた姿は、今、女性としての生き方を私に示してくれる。女性だけに課せられる妊娠、出産、子育て、また日常生活で起こるさまざまな問題を、困難があっても乗り越えてゆく勇気と行動力を私に与えてくれるのだ。

自分が母親となり子どもたちに注いでいる愛情は、母が私に注いでくれた愛と同じものであり、母からもらった愛をわけ与えていることだったのだ。

私の幸福をいつも願っていてくれた両親の限りない愛に、今は感謝の気持ちでいっぱいである。

いつの時代でも、子どもは両親の愛情を受けて育ち、やがて親になり自分の子どもに愛を注いで育てる。子どものころに親の愛に気づかなくても、成長し自分が親になったときに親の愛を知ることになる。人間はこの営みを、今までも、これからも繰り返し続けるのだと思うのである。

第2章　幸せに生きるために

あなたは、今幸福でしょうか？　そして、未来に希望をもって生きているでしょうか？

幸福とは

今自分が幸福かどうかは、家族や身近な人々が幸せかどうか、その人たちとよいかかわりを保っているかどうかで、ほぼ決まるのではないだろうか。

例えば自分を取り巻くまわりの人々に心配事や、突然の病気や事故があったとき、たちまち今までの平和な時は失われる。突発事故は、その処理が済んでしまえば、また元

24

に戻って平穏な日常に戻れるのだが、問題は心配事や難しい状況が継続的に続くときに、いかに対処していくかである。

子どもをもつ親の場合、自分の子どもが、あまり素行のよくないと思われる友だちと遊ぶ時間が目立つようになったとき、不安でたまらなくなる。子どもの服装や動作に、今日はどうか明日はどうかと不安にかられると、毎日の平和は破られる。

また、夫婦の仲がよくないときも、とても辛いことである。夫婦が口論をして互いに何日も口をきかなくなったりすれば家中の空気が一変し、家族全員を巻き込んで暗い毎日となる。一つの家の中で、家族が言葉を交わさないときほど、心が荒む時はない。夫の帰宅は遅くなり、子どもは両親の顔色を窺う。食卓はいつも父親不在で、食事をしてもおいしいと思えなくなる。

日常の中での身近ないさかいや、感情のもつれの果てに、暴力行為にまで発展することになったら、これはもっと、不幸のどん底に落ち込む。このような事が、いつも起こるようになったら、平和は破れ、生きていることを嘆き、苦しい人生となる。

幸福な人生を送るためには何をしたらよいのだろうか。

私は未来の幸福のために、次のことをいいたい。

まず、自分の存在を見つめ直し、前向きな気持ちで誠実に生きること。そして他人を理解するように努め、安定した心の状態を保つようにすること。

そこから幸福な人間関係が作られる。夫婦、親子が愛情をもってお互いを尊敬し、信頼している幸福な家庭が生まれる。そのような家庭からは、豊かな人間性を持った人間が育っていく。幸福な家庭が増えれば、幸せで平和な地域社会が生まれる。幸福の連鎖は、家庭、地域、国家の平和へと広く繋がっていく。世界の平和がもし実現するとすれば、まず自分の幸福な人生を求めること、それは家庭の平和から始まる。

自分のあり方を確立する

未来は確実にやってくる。希望を持って今日を生きる。

たとえ、前日によくないことがあったとしても、朝の目覚めから出発する。暗い想いを引きずりながらも、自分の持つ可能性を信じて、今朝からの未来に希望を持つことが、昨日と今日を切り離すことになる。今日の一日のあり方が、明日を確実につくり上げているぐことを、もう一度考え、認識する。

ともすると、よくないことが起きたとき、運が悪かった、と表現しがちだが、よくよく考えると、その運を進めるのが、誰でもない私自身にほかならない。

運命——とは字の如く、命を運ぶことである。命は、一人一人に与えられた、尊い宝物であり、その命を自分自身が運ぶことなのである。その認識が本当にできているだろうか。

毎日周りで起こる出来事や仕事に気をうばわれて、心を忘れてしまっていることなのではないだろうか。仕事に追われて、自分自身でものを考えること、自分に自信をもって行動すること、他人とのかかわりを大事にすることが大切なのだと、意識して一日を送りたい。

まず自分の素晴らしさを自分が一番最初に認めることによって、明日への希望が体の内から沸き上がってくるはずだ。自分自身の可能性を自分が知り、それを自分で認めることができたとき、他人の考えや思惑、評価に一喜一憂しなくなるようになる。他人に振り回されない自己が確立できるのだ。

そのとき始めて、自分の未来は自分のものであり、自分の過去も自分がつくっていたものだと気がつく。大切なことは、自分の運命は他人のせいでないのだと認識すること

27

である。勇気と聡明さをもって、他の圧力やまわりの考えに引きずられない自己を確立する必要があると思う。それが今日の生き方になり、明日への希望になるのである。

自分の素晴らしさとはなんだろう。過去をふり返り、今までの人生のひとこま、ひとこまで自分の心はどうだったかをみつめたとき、自分の未来もみえてくる。よかったことをみつけられれば、そのまま未来に向かえばよいのだが、もし悪いことがあったとしたら、もう一度そのときの自分のあり方を見直すことが大切である。

そうやって自分のあり方を確認し今日を生きていくことが、心を充実させていくことになる。その心を充実させることが、明日を拓いて前進する活力になっていくのである。

今だからこそ、私はこのように立派なことを書かせていただいているのだが、若いころの毎日がどうであったかと、思いをめぐらせてみると、とても、今日の自分のあり方を確認し、生きていたなどとはいえない。それどころか、自分の思いが通らないことにふてくされて、来る日も、来る日も仏頂面で過していたことを、思い出す。そんな日々で幸福な明日を招くわけがないことを知ろうともせず、自分の毎日の不幸は、すべて、私の話に耳を他人のせいにしていた。自分の願い通りに周囲が進めてくれないことや、私の話に耳を

傾けてくれないことに怒り、反発する毎日を送っていたことが思い出される。

そんな生き方では、明日の幸福をつくってくれるはずがないのに、悲しいまでに暗い日々を送る羽目になっていったのであった。

若かったころの私は、若者の常として社会の中で取り沙汰される有名人の華やかな生き方に刺激されて、自分もそうなりたいという思いが強く、背伸びをしていた。そうなるためには、これをマスターしなければ……と次々に自分の実力を高めようと背伸びをして、目の前だけを見つめて、突っ走っていた私であったから、今日の自分のあり方を見つめることなど、とても考えられなかったのである。

このことは本当に私がさまざまな人生を経験した後に気づかせてもらったのであった。もし気づかずにいたら、未だに自分の人生を他人のせいにして、自分自身のあり方を考えることもなく、目の前の欲望のために明日を追いかけて、むなしく今日を過ごしているはずである。

人間性教育──胎教から幼児教育

前章で、未来の幸福のために今日をどう生きるか、自分のあり方を認識すること、それによって希望に満ちた明日が約束されることに触れたのだが、私たちの未来に一番大切な事は、政治や科学、経済、文化よりも人間の資質がどうであるかだと思う。

地球の中で文化や文明を作り、生きるための活動を進めている人類としての資質、いいかえれば豊かな人格を持つ人間性を身に備えているかいないのかによって、人生への考え方に大きな差異が現れるのである。

「地球レベルでものを考えよう！」

そんなスローガンが目にとまるが、もしこのことが、本当に地球に住むすべての人々の間で考えられるようになったら、それは豊かな人間性を持った人たちが地球全体をリードし、平和な星として、地球にユートピアが出現したときで、これは人類の永遠の願いでもあるだろう。

私たち個々の未来においても、私たちの子どもや孫たちが豊かな人間性を身につけて

成長するかしないかで、未来の幸福に本質的な差が大きく生じると思われる。

豊かな人間性を持った人間を育てることは、これから子育てをする親とそれを支える社会にとって最も重要なことなのである。

出産は、女性の人生に重大な変化をもたらす。妊娠すると十カ月間、自分の身体の一部として成長し続ける胎児の存在は重要である。何もなかった状態から、時間とともに確実に外部からもわかるように大きく成長していく不思議さ、そのおなかの大きさの進み具合とともに、これから迎える出産の瞬間に対しての不安と覚悟を、自分自身にいい聞かせる日々。それは女性だけが体験することだ。

わが子への思いと深い絆、成長の願いは人類共通の、特に女性が強く持つ気持ちである。

その親子関係が成長の過程で、親の願いに反して問題が起きてこようとは、母親は幼いわが子を胸に抱いていたころ、思いをめぐらせることがあっただろうか？ きっと考えもしなかったことだと思う。

自分の産んだ子だもの、私の子だものと、愛に満ちた絶対的な関係のように思いこみ、問題が起こるはずがないと信じて慈しみ育ててきたわが子。なぜか親子の間のボタンの

31

かけ違いが生じたとき、その違いのままに放っておくと取り返しのつかない事が起きる場合が多くある。

特に幼児期の育てられ方がその後の人生に尾を引いているようである。

私自身を振り返ってみると、家業をしながらの四人の子育ての中、そんなはずはないという思いをたびたび経験した辛い時間を思い出す。そして、子育てで大事なことは、乳幼児期の親子がバランスのとれた楽しいかかわり方をすることにあるのではないかと思うようになった。

三十数年前、母親学級で胎教のすばらしさを「0歳からの教育」として紹介していたソニーの故井深大名誉会長のVTRを見た。

VTRでは、胎内用モニターで撮影された赤ちゃんが、母親の日常の会話や感情、胎内の自分への働きかけに微妙に反応する様子をはっきり見ることができた。

人間の人格の基となるものは、胎児期から幼児期の潜在意識の中に組み込まれるといういう。豊かな人間性を持った人に育てるためには、親や周囲の人間がこの時期に子どもとのコミュニケーションを十分にして、優しさや思いやりの心を育む感受性を子どもと潜在意識に

32

植え込む必要があるという。私はこの教えに深い感銘を受けた。

人間性教育にはその時期の時期にふさわしい教育があって、人間形成に重要な情感、情操教育のできる時期は、四、五歳までが最も重要で、その子の性格として発達する脳の部分は、四、五歳位までにその大部分の成長が終わる。もしこの時期をのがすと、脳は次の成長期へと移行している。この年齢以降に閉ざされた脳の仕組みを開かせることは、大変困難になるという。

人間形成において最も大切な優しさ、思いやりを育てるための種を、その子の心の核に植え込むのは、胎教の時期から幼児期であることを私は教えられた。

母と子のへその緒のつながりによって結ばれている時期から愛情をもってコミュニケーションをすることが重要である。子どもの命が誕生してから乳幼児期にいたるまでの、母と子のバランスのよいかかわりが、人間性を備えた人格を形成させる。

素晴らしい人間性を備えた人間に育つようにその時期から心がければ、その子が大きくなるにつれて徐々に優しさ、思いやりの心が芽生えてくるのだと思う。やがて自己肯定、他者肯定の豊かな心をもつようになり、自分の周りにいる人の立場を理解し、最も身近な家族への思いやりを持つことができる大人に育っていくのである。

「父が、母が私の幸福を願っている」と素直に思える人になっていく。

この胎児から乳幼児までの時期が人間形成において重要であることを、すべての人々が今、認識を新たにする必要があるのではないだろうか。

未来に目を向けた人材の育成は二十一世紀の大きな課題である。

すべての女性たちに、人間を生み育てる事が素晴らしい仕事であることをもう一度しっかり認識していただきたい。自分の未来のために、地域社会、地球のために、人間教育の必要性を、私は若い世代に呼びかけていきたいと思う。

＊

この稿を書き終わったところで、私は初孫の女の子の誕生の知らせを聞いた。

新しい未来にはばたく命が娘夫婦に授けられたのだ。

私の学んだ胎教の大切さを理解した娘は、妊娠と同時に胎教を始めた。

小さな命がやがて豊かで優しい思いやりの心を持つ人に育つことを願っている。

家庭不和と子どもの病気

前項では人間教育の重要さを述べたが、私自身がそのことに気がつくまでには随分と長い時間がかかってしまった。

今、人間一人一人の幸福は、家庭の平和から始まると説いている私なのだが、母親の心のあり方が家族をどんなに不幸にしてしまうのか、身をもって経験しているのだ。

夫婦の不和は子どもの病気をまねく。私の子どもたちが病弱だった原因は、私の心によるものだということを後年になって知ったのである。

私には四人の娘がいるが、この子たちが幼いころ一人が風邪を引き熱を出すと、次つぎと姉妹にうつり、四人の子どもたち全員が感染することがよくあった。毎年冬の到来は、私にとって心配と体力との戦いが始まるときでもあった。

子どもたちは熱を出すと、枕を並べて床につく。私は夜を徹しての看病となる。熱を出すとよくひきつけを起こす子が一人いた。その子の容態に目が離せない。順番に熱を

計り、氷枕の氷を入れ替え、額に当てた濡れタオルの取り替え。　脱水状態にならないよ
うに水分の補給と忙しい。

四人の熱の状態を順番に図る。　その中でもひきつけをする子の体温を計ることは、と
ても辛いことだった。　熱が下がっていることを祈る気持ちで体温計を見ると、水銀計は
上の方まで上っている。

体温計を持つ手がふるえているのを、子どもが見ている。　私が不安におちいっている
ことを子どもに気取られないように、子どもの手を握りながら明るく話しかける。

「さあ、お風邪が直ったら、どこに行こうかしら。　動物園へ行こうかな、それともデパ
ートに行こうかな」

気を他にそらせることによって、子どもの気持ちを明るく楽しい方向に向けようと必
死だった。　高熱のために火のように熱くなっている小さな体に添い寝をし、この辛く苦
しい状態が和らぐように、少しでも熱が下がるようにと祈り続けた。　その時の不安な気
持ちは今でも忘れることができない。

一睡もできなかった夜が明け、窓から射し込む朝の明るい光が見えると、思わずほっ
としたものだった。

そのころは、子どもたちがみんな揃って体が弱いのはなぜだろうと、深く原因を考えることもなく無我夢中で日々を過していたのだった。その本当の原因は、夫婦の不和にあったことに気づいたのはずいぶん後になってからだった。

商家に嫁いだ私の新婚生活は、夫の両親、妹たち、十四、五人の住み込み従業員の大家族の中で始まった。古くからのしきたりが多く、それまで自由な独身生活を送っていた私にとって、はじめからとても息苦しく辛い毎日の連続であった。商店は私の想像を絶する忙しさで、全員の食事の献立から夜遅くにまでおよぶ来客の応対と、ただ働き回っていた。

長女の妊娠がわかったころには、夫との結婚を夢見たころの喜びはどこにも残っていなかった。こんなはずではなかった……。そんな思いばかりが心を横切り、周囲に対し何事にも否定的、批判的な目を向けていた。

私の不満は、一番身近な夫へとぶつかっていった。

夜になりようやく一日の仕事を終えて、夫婦二人の時間がやっと持てたというのに、待ってましたとばかりに、その日一日に起きた夫の家族とのトラブルや、家の不満をぶつける日々を私は続けていたのだった。

自分を取り巻く人々が自分を認めてくれないと、理解してくれないと、毎晩夫に訴えていた。そんな状態がよい方向に進むはずがなく、だんだんと夫の気持ちが家庭から遠ざかり帰宅時間が遅くなる日が多くなっていった。私は他の女性の存在を想像して、不平不満をますますつのらせていた。

自分がどう変われば夫の両親や周りの人たちとうまくやっていけるのか、自分の心のあり方を考えることもなく、不平不満を心にいだきながら時が過ぎていった。その間に子どもが生まれ、さらにめまぐるしく家事育児に追われていったのだった。

そして私が気づかないうちに、子どもたちは母親の心の不安定さを感じ取り、子どもたちの心も不安定なまま育っていった。精神的なストレスが子どもたちの体調に大きく影響を与えていたのだ。

わが子の幸福を誰よりも願っていたはずなのに、そんな子育てをしていたことを後に気付き、子どもたちに心から詫びたのだった。

胎教から乳幼児期の子育ての大切さを知った私は、その後それを実践する子育てを試みた。これから子育てをするすべての人たちに、家庭の不和、母親の気持ちのあり方がいかに子どもの成育に影響をあたえるか知って欲しいと、心から思うようになった。

相手が見えない

次にどうしたら平和な家庭、争わずに一日を送ることができるのか考えてみたい。

一日は、朝の目覚めから始まる。朝は、その日の流れのスタートである。その朝の気分によって、一日の心のあり方が決まることが多いように思える。

あるとき、なるほどと思うような話を、乗っていたタクシーの運転手さんから聞いたことがある。交通事故を起こした会社の同僚のほとんどは、その朝、家族との感情的な摩擦、特に夫婦喧嘩があったというのだ。運転していながらふと朝のいさかいを思い出すと、思わず心が不安定になり、ハンドルを握る手に集中できなくなるのであろう。

朝、起きた些細ないさかいが、取り返しのつかない大きな悲劇へと発展する一つの例であるが、考えてみると私たちはいつもこのような場面に直面するような危険な要素を自分の中に持っている。

家族とのいさかい、友人とのいさかいの原因は、ちょっとした些細な言葉や行動が発端の場合が多い。もしその時、これから起きるであろう成り行きの方向を見極められた

ら、ほんの少しその光景を想像することができたとしたら、相手の心を波立たせてしまうような刺激的な言動を控えることができたかもしれない。それによって次の展開は、まったく違う方向へと進めることができたはずである。一瞬の自分の感情が、大きくいえば先々の自分の幸不幸にかかわることになるのである。

自分の感情をコントロールするには、どのようにしたらよいのであろうか。

一番に、少し引きさがる心のゆとりを持つようにすることが大切なのではないか。できるだけその問題だけにこだわらないように、発想の転換を試みることが重要ではないかと思うのだが……。

たしかに、現実にいま口論している相手の前で、自分を客観視することは不可能に近い状態であるのだが、しかしできないことはないと思う。自分のかかわり方によって、この場面の展開の仕方が変わるのだから、相手の思いの中に巻きこまれてはいけない、自己を忘れてはいけない、と常日頃自分への戒めとして心がけることによって、自分を客観視できる状態に少しずつ近づくことができるはずである。

今起きている問題の焦点は何かと、相手と自分の間に横たわる核心を冷静に見つめることができるようになったら、もう解決に向かっているといえよう。

誰でも誰かに対して、日頃の相手の言葉のトゲや態度の不愉快さからくる折々の思いが積み重なっていて、何かのきっかけで発火し大喧嘩になることがある。

喧嘩ができる相手なら、まだ救われるのだが、それができない相手、親であったり、会社の上司であったりした場合、持って行き場のない心の鬱憤をどう押さえてよいかわからなくなる。しかし、この上下関係における争いも根本的な原因を冷静にみつめることができれば、問題の焦点は明らかになるはずである。

相手の心を知ろうと思う気持ちが起きれば、解決の糸口がみつかるのである。一方的な自分の考えや見方にとらわれず、相手の気持ちの中に何があるのかを知ることによって、自分との関係の問題の核心が解明できるわけである。

さらにここで大切なことは、関係を悪化させた原因が何かをより深く知るために、自分と相手との人間関係のあり方をきちんと理解をすることである。それを理解していないと、話は進まず喧嘩別れになり、もっと悪化させてしまうことにもなる。

親や上司にとって自分はどのような立場なのか、家庭でのポジション、会社でのポジションを理解することが重要である。自分の立場をわきまえて対話をすることが大切なのである。

親や上司は、若い人の持つ積極性を未経験からの行動と思ってしまい、若者は理解されないことを相手のせいだと思ってしまう。

永遠にくり返される世代間の意見の相違を理解し、もっと発展的に受け止める優しさが求められている。その理解をしようという心が一人一人に生まれたとき、争いはだんだんと消えていくのではないだろうか……。

年齢、性別、経験、社会的立場によって、同じものを見ていても、考えることが異なってくるのは当然である。そのような相違点があるということを知っていれば、衝突を解決することができる。家庭の平和、社会の平和が保たれるようになっていく……。

意見がくい違い平行線のままの場合でも、相手の立場を理解しつつ、お互いに譲り合い、解決を求めるべきである。

人と人との結び合い

家庭も、地域社会も、世界も人と人との結び合いで構成されている。個人は家族の一員であり、家族は社会を構成し、国家、世界を構成している。

網の結び目の一つ一つが人間の一人一人の存在の場所であり、その結び目の一つ一つの動きが、全体のうねりとなって私たちが社会をつくっていくのである。

幸福な個人、平和な社会をつくるための人間教育ということについて述べたが、子ども教育と将来の豊かな人間性を持った人材の育成は社会全体の問題なのである。現代における人と人との結び合い、助け合いの重要さを再認識したいと思う。

人間は一人では生きていけない、大勢の人々の助けや、かかわりによって初めて生きていけるのである。

わかりやすい例として、毎日食べるご飯は、私たちが食べられるまでになるのに、どれだけたくさんの人の労力が結晶したものであるのかを、幼いころに学校の先生や両親から教えてもらった。自分の生命を維持し健康を保つためには、さまざまな分野で生産活動をする大勢の人々のかかわりがあって、初めて可能になることを、なんとなく知ったことを覚えている。

しかし今、現実の生活の中で、そのことを改めて考えることもなく、当たり前のこととして過している。

一時代前の日本社会の経済的な背景と、現在の豊かな経済状況の違いのなせることか

もしれないが、昔のように自分の子どもに、お米への感謝の心や、米作りにかかわる人たちの話をしてあげたことはないように思う。親の私がその程度であることは、子どもたちの認識もおのずと知れたことになるのではないだろうか。

科学技術の進歩によって私たちの生活の中に新しい文明の利器である電化製品がめまぐるしい速度で入り込んできた。その恩恵は、全人類が甘受している。特に女性にとって家電製品の普及は家事から解放されて新しい生き方が可能になり、多様な人生を選択できるようになった。

かつて女性たちは、くる日もくる日も炊事、洗濯、掃除と追われながら、その上、子育てがあり、ゆとりのない日々を送っていた。

私も家電製品によって女性が毎日の家事から解放されたことに、とても感謝している一人である。まさにこの原稿用紙に向かう時間を与えられているのもそのお陰なのである。

その反面、何か大切なものを失ったような気がする。昔のめまぐるしい日々の中で、全身を使って一つ一つこなした家事は、仕事の区切りの後にほっとする充足感を味わうことがあった。身体を働かすことによって体内の血液が活発に流れ、また、ものごとを

やり終えた満足感が心を満たしてくれた。あのさわやかで、生き生きと躍動する思いは、便利な生活のなかではなくなったことを感じるのである。

親だけではこなすことのできない家庭内の雑事を、子どもたちの力に応じて手伝わせていた。小さい時から両親や兄妹と家事を共同作業するなかから、助け合う喜びや苦しみ、辛さを体験した。人間形成の大事な時期に、一つの仕事を通して助け合うことにより、自分が存在することの喜びと、親や兄妹に貢献することができた喜びを経験した。この体験が、将来の人と人とのかかわり方に大きな影響を与えていくことになるのである。

家庭では、夫や妻、会社では上司や同僚から仕事を頼まれたとき、快く前向きな気持ちで行動できるかどうかで、人生に大きな違いが生じてくると思う。なぜならば、人間社会は人と人との結ぶ網の目の中の存在であるからである。

科学技術の発達は、いつか人と人との結びつきを希薄にしていくのではないかと時々思う。しかし、人間社会がどんな時代になろうとも人と人との結び合いの重要さが変わることはない。

この頃の最初に書いたように、人間は一人では生きられない。支え合うことによって

生きることができ、助け合うことによって人と人との一体感を感じ合えるのである。私たちはこの人間社会の持つ大きな原則をもう一度改めて見直して、新たな人間教育を進めなくてはいけないのではないだろうか。

前アメリカ合衆国大統領夫人のヒラリー・クリントンは、著書『村中みんなで』（あすなろ書房）の中で、次のように述べている。

子どもは家族の一員であると同時に社会の一員でもあります。生まれた瞬間から、祖父母、隣人、教師、牧師、経営者、政治的指導者、そのほか子どもたちの人生に直接あるいは間接的にかかわる無数の人々に依存しながら生きています。大人たちは街の治安を維持し、食物や空気や水の質を管理し、テレビ番組を制作し、子どもたちの親を雇う会社を経営し、子どもたちを守る法律を制定します。私たちの誰もが、すべての子どもたちの人生において、何らかの役割を果たしているのです。

科学は人類を宇宙飛行までも可能にし、ますます技術開発を進めて行く。この二十一世紀に地球の中の一員として、人間本来の心の豊かさを保ちながら、人と人とが支え合い助け合って生きていくことを考えなくてはいけないのではないかと改めて思うのである。

第3章　心のコントロール

幸せな心になりたい

相手を理解し受け入れる豊かな心の人。

温かい心でものごとをみる優しい心の人。

物事にこだわらない鷹揚な性格の人。

何事も肯定する前向きな考えの人。

元気な人。

こんな人がそばにいたら、みんなとても明るくなってくる。自分の心が沈んでいる時

にそんな出会いがあったとしたら、ホッとする……。

このような人を、幸せな心を持っている人というのではないか。

その反対の人もいる。

他人を信じない、相手の欠点ばかりを見てしまう、物事に執着し、その場ではっきりと白黒の答えを求める。何事も否定してしまい、なかなか前に進めない。自信がもてなくて消極的な人。

誰でもその人の考え方が、回りの人々に少なからず影響を与えているものである。日常の生活の中でその人の考え方が自分をとりまく身近な人々に少しずつ波及している。

幸せな心を持っている人と出会うと、またの出会いを願う。その反対のときは、再び会いたいとは思わない。

出会ったその人が、別れたときになんとなく平和な心になれるような、そんな出会いにできるようにいつも願うのである。

もし家庭の中で、母親が否定的な考え方ばかりして暮らしていたら大変である。自分だけに留まらず子どもまでが、同じような考えをもつ人となってしまうかもしれない。自分だけのことだからといって、済まされることではない。

私の子育てがそうであったのだった。

長女を妊娠したころの私は、毎日暗い思いで生活していた。

朝六時の起床とともに、手早く身仕度を調えて向かいの母屋に急ぐ。一日の始まりである。朝食が終わると開店、あわただしい人々の出入りが始まって来る。

大勢の中で暮らすことを知らなかった私は、人の出入りの目まぐるしさに、すっかり体も心も疲れ果てていった。自分自身の心の喜びを感じることがなくなっていった。

こんなはずではなかった。もっともっと毎日が楽しい日々だと夢見ていたのに。商店の中に住居がある生活は、一年中休みの日がない。公私の区別がはっきりしない生活が、とても辛かった。せめて週に一日、この仕事から解放されたい。週一日が無理なら二週に一回でもいい。どれほど望んだかわからない。しかし、それは無理な話であった。

そんな気持ちの中で長女の出産を迎えたのだった。産後の休息が終わると、今度は長女を背中におぶって相変わらずの生活が始まった。相変わらず心に不満を持っていた。心に不満をかかえ、不安定な気持ちでいる私に育てられた長女は、幼くして神経症の十二指腸潰瘍を患うことになってしまった。私の否定的な気持ちが、娘に影響を与えてしまったのである。かわいそうな子ども時代を送る羽目に、追い込んでいたのだった。

あるとき、苦しい暗い顔をしていて、笑顔を向けることなど、とてもできない状態で

あった私を見かねて、友人が注意をしてくれたことがあった。

「あなたが毎日が辛く苦しいからと、そんな暗い顔をしてばかりいたら、その辛い暗い

顔がそのまま子どもに受け継がれていくことになるのよ、しっかりしてちょうだい」

「せめて子どもに向ける顔だけでも、その時だけでよいから、暗い顔を自分の中に押し

込めて、笑顔を見せなさい。自分一人になったときに暗い顔になりなさいよ!」

その時の友人のきびしいその言葉は忘れられない。お陰で私は自分の幼さを知った。

自分が苦しいからと、子どもの将来に影響を与えることなど考えずに、いつも、自分の

心ばかりを見つめて暗い顔になっていたのだった。

「こうしていてはいけない」

自分を切り替えようと決意した。

こうして私は、二重人格というものを試みることを思いついたのだ。おかしいと思わ

れるかもしれないが、自分が承知の上の二重人格ならばいいのではないかと思うので、

ここにご紹介させていただきたい。

わかりやすい表現としては、右側にむけた顔は明るい笑顔、左側の顔は本音の顔と、

自分の顔をまず、使い分けることから始めてみたのである。簡単にはいかなかったが、いつも、「左に涙、右に笑顔」、明るい笑顔を作るように自分にいい聞かせたのだった。

ともすると切り替えのつかないまま子どもに向かっていて、後で気付いて自分の未熟さを反省することが、多々あったが、激した自分の感情を、関係のない人にぶつけるおろかさだけは、コントロールできるようにしたいと思った。大げさにいえば、自分の感情の今の状態を、もう一人の自分がいつも監視する習慣を身につけるように心がけた。それによって、子どもには笑顔で接するように努めたのだった。

人との出会いがよい出会いになるよう努力した。

もしもっと早く幸せな心をもって毎日を過ごすことができたら、長女を病気にさせずに済んだのではないかと思う。親の自覚がもう少しあったとしたら、たとえ本心がどうだったとしても、子どもへの影響を考えて、幸せな気持ちになる努力ができたのではないかと、今に至るまで悔いを残している。

幸せな人の考え方と、否定的な考え方は、両方とも私の心の中にある。すべての人の心にもあるものではないかと思う。幸せな心で毎日を過ごせるように、自分をコントロ

51

ールできるように努力をしていきたいと思う。特に家庭生活のなかでは、辛く苦しいときでも、親としての自覚をもとに、子どもに笑顔を向けるように心がけたい。

人は生きていく上で、互いに影響を与え合っている。幸せな心を保つように努力することは、家族や回りの人たちを幸福にし、それがまた自分自身に平和で明るい毎日、よりよい人生をもたらすことになる。

目上の人とのかかわり方

ふと、小耳にはさむ会話の中で、

「まったく、いやになる。いつも、勝手なんだから……」

「困ってしまった。突然にいい出すんだから……」

「こっちの事を、考えてくれないんだから……」

「まあ仕方がないか。いやとはいえない相手だから……」

突然、思いがけない用事をいつもいいつける相手への思いやりのない態度に、腹立ちを感じることは多い。それでも、所詮抵抗できない相手であれば、仕方なく相手のいう

通りに受け入れる。こんな場面は、日常茶飯事であると思われる。

家庭の内では、親子、夫婦が、会社では上司や先輩後輩との関係などでよくあること

である。日頃、意志の疎通ができている関係であれば問題ないのだが、そうでない場合、

これは問題である。長い間に、相手への信頼の心が消えていき、嫌な思いばかりが残っ

てしまう。ぎくしゃくした間柄に発展する大きな原因になる。

毎度の身勝手な押し付けに、序列が下の立場として「嫌です」、「予定があります」、

「できません」という返事はとてもできない。そんな事をしようものなら、会社ならく

び、家庭なら喧嘩。友だち同志であっても、仲違いに発展することになるだろう。

そのような結果を恐れて、大概は自分の大切な約束とか予定をあきらめて、突然に出

された社会のしがらみに従うことになる。そのときはそれで納まっても、本人の心の奥

の不満は消えはしない。ともすると、どこかで当たり散らすことになっていく。

「今の民主主義の世の中に、こちらの都合も考えずに、いつも自分勝手に押し付けて、

本当に嫌になっちゃう。もう、こんな会社はやめようか……」

「早く、こんなわがままな、思いやりのない上司がいなくならないかな」

と、不平不満を抱えてしまう。

自分の心をどう切り変えたらよいかわからないまま仕事をしていると、ミスも多くなる。さらにその気に入らない上司から、仕事の不出来を叱責され、追い打ちのようになっていく。本人にしてみれば、ふんだりけったりで出社拒否症になりかねない。

親子関係でも似たようなことはたくさんある。

このような場面は、多かれ少なかれ、誰でも経験することである。大変なことにならないうちに、自分の気持ちをコントロールすることで、ストレスを減らすことができると思う。

まず心のバランスの配分を考える必要がある。両者の関係を単に上下関係、強者と弱者と、とらえてしまうと解決はできない。そのとらえ方が発展すると、不幸な結末を招いてしまうことになる。

社会を構成している人間関係を、改めて考え直すことから始めてみたい。

家庭では、父母、夫又は妻、子ども、と家族のあり方がはっきりしている。例えば子どもの立場についていえば、両親の子どもとして誕生して来た赤ちゃんのときから、両親の保護なしに生きることはできなかったのである。食事の世話からおむつの取り替え、着るもの、学校と、独り立ちできるまでに限りない親の保護を受けている。その経過を

54

少し考えただけでも、当然のことながら、親と同等であるはずがないのである。

企業での立場では年功序列、役職者と平社員、学校での立場では先生と生徒。

家族、企業、学校と、三つの組織を見ると、共通している主体は同じであることに気づく。それは、それぞれの組織の中で、長い歳月、情熱を注いだ人々がいて今日があるということである。このことに目を向け、その人たちを理解し敬う気持ちを持つことが、大切なことである。

目上の人との間に面白くないことが起きたら、まずその現場で「先輩なのだから」と思えるように、ぜひ努力を進めて見てほしい。決して強者と弱者の関係だけでとらえてはいけない。強者を絶対的立場の人としてだけとらえると、自分がみじめになって、駄目人間という自己否定だけが、昂じてしまうのだ。

そうではなく、「その現場に長い間、エネルギーを注いできた先輩だから、今その先輩が大事なことだという事をするのは当然のこと」と、一歩引き下がって考えるようにする。その事は、自分が経験を積むことにもなり、そして自分自身の大切なことも大事にしていく心のバランスの配分も、身に付けられることになるのだと思う。

親や上司、先輩に対して心が納まらない時に、思い返していただきたい。

常に心の充電に努めよう

生活環境が変わったときや未経験のことをするとき、誰でも慣れるまでには緊張を強いられ、疲れがたまる。

人間は新しい環境に順応していく能力を備えている。しかし、新しい環境がこれまでの環境と違いがあればあるほど、心に受ける圧力が大きくて、今までの自分を見失ってしまうことがある。極端に異なった環境に置かれると、体調を悪くする危険性もある。

たとえば、四月に入社したばかりの新入社員に起こりがちな五月病などもその一例だ。会社に対して順応しようとしていたつもりでも、だんだん無理がでてきて、心の落ち着くところがわからなくなる。自分の中で今まで培って来た、もっとも心地好い環境に戻りたいのに、戻れない。そのようなストレスが、「五月病」になる原因の一つだと思う。

未知の世界に入っていくときには、心のコントロールに注意する必要がある。心が無防備なまま新しい世界に飛び込むことは、大変危険なことである。慣れないことに取り組んでいる自分の持つ心と体の限界をいつも認識しておくこと。慣れないことに取り組んでいる

とき、現在の自分の力の量をチェックしながら、「今、私は、全力投球をしている。力を使い果たしてくたびれるはずだから、気をつけよう」と自分にいい聞かせることが、重要なことである。使い果たしたエネルギーの補充も、十分に心がけるようにする。

エネルギー不足による集中力の低下が、判断力を失わせ、ものごとに正確に対処できなくなり、そのために引き起こされる様々なミスや問題は、後で修正がきかない所まで発展することがしばしばある。

私がそのような問題を経験したのは、姑を介護する生活が始まったときである。

日中は元気な姑が、深夜になると体調が急におかしくなることがよくあった。慣れない介護の疲れでぐっすり寝込んでしまっていた私は、急な知らせに起き上がっても、どう対応したらよいのか正常な判断ができなかった。体中が震えて、救急車を呼ぶこともなかなかスムーズに進められず、自分自身の身仕度もできないまま、救急車に乗り込んだりしたのだった。

昼間の介護の疲れの上に深夜にまで緊張して、私も体調が悪くなるのでは、と思うほどであった。このままでは、共倒れになってしまうことに気がついて、自分のエネルギーの使い方をコントロールをすることにした。

毎日の介護は大変なエネルギーを必要とするが、そのエネルギーをその日のうちに使いきらない努力をしておくこと。気分転換をして、エネルギーを補充しておくこと。私の場合、姑の介護生活の中で一番心がけたのは、そのことであった。

深夜の出来事に対応できるエネルギーを、充分に残す生活のあり方を考えてみた。それはとても簡単なことであった。深夜に何かあったらどう処理するのかを、頭の中にいつも描くことから始めたのだった。姑の容態がおかしくなったらすぐ主治医に電話して指示を受ける。深夜の電話はとても勇気がいることではあるが、容態によっては、すぐ救急車を手配して、入院の支度をする。

このように頭に描くことによって、心に余裕ができていったのである。

いつしか深夜になにかあっても驚かなくなり、姑を安心させる介護ができるような自分になっていったのであった。

いつまでも始めのころのように、自分のエネルギー不足に気付かずに、深夜の行動をしていたとしたら、取り返しのつかない結果になったのではないかと思うのである。

新しい環境におかれたとき、未経験のことを始めたときには、自分のできることの限界を知り、毎日全力を出し切ってしまうのではなく、余力を残して、心身のエネルギー

相互理解をすすめよう

人間は本質的に平和を望んでいると思う。

誰かといさかいをして心が激昂して納まらないことがあったら、その後に必ず後悔して後味の悪い思いをするものだと思う。

私は、朝目覚めたときにふと心によぎる事がある。それは昨日あった出来事が心地よいことだったのか、そうでなかったのかという事である。前の日に誰かといい争いをしていたりすると、一日の始まりに気分が重く沈みそうになる。

いさかいを起こさない自分のあり方を、改めて考えてみる。

なぜ、いさかいが起こるのかというと、ほとんどの場合、相手の考えと自分の考えの食い違いが、だんだんエスカレートしていって、激しいい争いになっていくからである。

の充足を心がける。このような習慣が、新しい環境にうまく順応し、臨機応変にものごとに対応できるようになるためには必要である。

そもそもの考えの食い違いとは、話題のテーマになっているものを両者が違う立場で認識していることによると思う。

人は誰でもそうなりがちなのだが、自分の考え方が一番正しいと思っているので、それを主張するあまり、争いになってしまうのである。

いさかいの後、自分の心が傷つくたびに、もうこんなことは嫌だと思う。相手を理解し、いつもおだやかな心で会話ができるようになるには、どうしたらよいのだろうか。

年齢を重ねると、感情の起伏が激しかった人も、穏やかな心に落ち着くようであるが、その前に、もっと若いころからいさかいを避けられるようにできたら、どんなにいいだろう。

まず、いさかいの原因の多くは、両者の基本的な考え方の違いから発していることを、改めてよく認識する必要がある。人間はみな、それぞれ考え方が違っていて当たり前だと思う心を持つことである。

人に出会ったときには、その人は自分とは違う考えを持っていることを前提とする。

そして、相手の話を聞くことから会話を始める。相手の考え方をより理解するためである。

60

人間は、人それぞれ生まれ育った環境が違い、さまざまな価値観をもっている。その価値観に基づいて、今日までそれぞれ生き抜いてきたのである。そのことを認識しておくことは、相手の考え方を理解する上で、大切なことである。相手にも、人それぞれ価値観が違うことを理解してもらうように努力して、自分の主張について、ていねいに話を進めていくことが大切である。

誤解がありそうなときは、勇気をもって簡潔に、どこが違うのかを話すことが大切である。それはとても難しいことである。なぜならば、誤解をされた場合、即座に「失礼な」という感情が起きてしまうからである。その感情を抑えて、「あら、そんな風に聞こえたらごめんなさい」と、冷静にいえるようになりたいものである。

自分を相手に理解してもらうためには、感情的になってはいけない。感情的に反論すると、ますます誤解を深めることになる。

このように、他者の考えを理解すること、自分の考えを理解してもらうことを日常の習慣として身につけているならば、相手の話を冷静に聞き、いい争いになりそうなことを事前に察することができる。お互いに感情的になる前に、相手の主張に耳を傾けると、相手の主張に耳を傾けるか、語気が強くならないように注意したり、話題の流れを変えていくように努力をすれ

ば、大きな口論にまでならない。

私は過去に、まったく思いがけない誤解を人から受け、辛い思いを味わったことがある。

なぜそのような誤解を受けたのか、後になってその問題点を冷静に考えた結果、相手に自分の考え方を説明するのをおろそかにしたことが原因だったことがわかった。おろかなことに、私は相手の人の人生のあり方、考え方をまったく理解していなかったのだ。それにもかかわらず、相手が自分と同じ考え方を持っていると思いこみ、よく話をしなくても、相手も自分のことを理解してくれていると勘違いをしていたのだった。

その人の幸せを願って、善意をもってかかわったことが、とんでもない誤解をされ、身動き回りからひどい評価を受けることになった。そのことに気づいたときは愕然とし、身動きできないほどの精神的ダメージを受けた。

そのストレスが原因で体調をくずし、三カ月も入院する事になった。しかし、その入院生活の間に、自分の過ちに気づくことができ、相手への恨みの感情が消えたのだった。

最初の自分の思いこみが、すべての過ちの原因だった。自分にとって大変よいことだと思えることが、相手にとってはとても嫌なことだったという単純なことであった。

男性と女性の相互理解についても考えてみたい。

男性と女性は個人差はあるものの一般的に、体型、体力、性格が異なり、それぞれに特性がある。女性は自分たちの女性としての特性の中の長所、短所を知り、また同様に男性の特性を理解すべきである。異なる性の理解不足、認識不足から数々の悲劇が繰り返されてきた。

まず夫婦が互いの性の特性を認識し、平等の意識をもつことが重要である。特に女性は新しい生命を胎内に育みこの世に誕生させるという使命を担っている。この命をかけた役割を男性によく理解してもらいたい。

男性優先社会から男女平等社会へと社会制度は変化しているが、制度や待遇が平等になっても、一人一人が異なる性の特性を認識し、平等の意識を持つ社会はまだこれからである。その実現のためには、私たち女性からのアプローチも重要である。

身近にいる人とさえ相互の理解が足りずに、誤解や争いがおきるのだから、より環境の違う生き方をしてきた人とは、さらに相互理解への努力が必要になる。国が違ったり、宗教が違えば、相互理解はより難しくなる。大きな争いを防ぐための相互理解を推進する重要性を痛感している。

第4章　今を生きる

夢がストレスをなくす

　現代人の病の多くはストレスが原因であるという。ストレスは心が拒否する「嫌なこと」のために生じるのである。では何が嫌なのか、どのような時にストレスが起こるのか、原因を考えてみたい。

　まずストレスを受けるのは自分である。自分自身の問題なので、誰かのせいにして逃げることはできない。

　ストレスを受けやすい人に共通するのは、とかく他人の言葉に反応しやすいことがあげられる。しかし、言葉は、人それぞれの性格に左右されて表現される。相手の言葉使

いをよく聞くと、相手の性格をある程度知ることができる。

物ごとに感じやすい人は、豊かで優しい表現をする。物ごとを割り切り、シンプルさを好む人は、表現がストレートであまり言葉を飾らない。

両者の差を比較してもわかるように、人それぞれの違いを認めることはとても大切である。これを理解できるようになると、人から感情的なことをいわれても、あまり気にならなくなる。できるだけ多くの人の性格を観察し、知るようになると、自分がどのようなときに、ストレスを感じやすいのかわかるようになるはずである。

それができるようになれば、先が見えてくる。自分のストレスの対象が見えてくるからである。無防備な状態でストレスを受けるのと、自分がどのような言葉や、どのようなことが嫌だと感じるかを知っていれば、ストレスを軽くできるようになる。

自分がなにかのストレスを感じているときには、その解消法も大切である。ストレスの中で身動きができなくなると、精神的に不安定な状態が続くことになり、原因不明の病気にかかってしまうこともある。

ストレスの原因をなくすることができれば、それが一番よいのであるが、それが不可能な時には夢を持つことをお勧めしたい。

家庭でのもめごと、事故、病気などさまざまな問題に襲われたときに、大きな夢を持っていれば、その実現のために現実の問題に立ち向かう勇気と気力が生まれてくるのだ。

夢は簡単に実現できない夢であるほうが、かなったときの喜びは大きい。

しかし日々の生活の中、実現可能な夢を見つける事も重要な事である。

何か嫌なことがあったら、前述のようにそれをよく分析して、それでもうまくいかないときには、「今この問題を解決できたら、念願のことができる」とか、「毎日これをこなしていくことができたら、欲しかったものを買おう」というように、現実の問題を乗り越えられるように、気持ちを夢に向けていくように習慣づけて行くのだ。

夢には、夢を見る、夢多き人のように実現不可能な事がらを意味することがあるが、私は夢は人に希望を与え、人生を支えてくれるものだと思っている。

もし、私の心の中に夢がなかったら、今までの人生にあった困難な出来事を乗り越えてくることはできなかったかもしれない。

二十数年前、私は原因のわからない足の病気になって、一年近く体を動かすことができなかったことがある。立ち上がると、右足の膝から下が紫色になってしまい、歩行困難となってしまうのであった。身動きできない状態で、一年程過ごした。夫の背中に背

66

負われて、何カ所かの病院を訪れたが、どこの病院でも原因がわからず、従って治療もできなかった。

一日中寝ているか、座っているかしかできずにいた。今まで激しく働き回っていた反動なのか、夜になりあたりが寝静まるころになると、激痛に襲われた。

あまりの痛みに、横になることもできず、壁に身体をもたれかけ、左右の腕で上体を支えてじっと我慢する日々をくり返していた。

家事をすることはほとんどできなかった。子どもたちの食事のために、お米だけは炊いておこうと、台所まで壁を伝いながら膝でいざりよっていき、米を研ぎ、電気釜をセットするのがやっとであった。おかずなどの買い物は当時小学校高学年になっていた長女に学校から帰ると行ってもらった。

主婦が病気になったときの家族の困難な様子を目の当たりにしながら、自分の足がこのまま動かず、一生歩けなくなるのではないかと、不安な毎日を送っていた。

不安と絶望の中にいた私を、そのとき救ってくれたのが、前からの願望であったヒマラヤと敦煌へいきたいという夢であった。

ずっと長い間、私はヒマラヤと敦煌にあこがれていたのだが、現実は子育てと家事に

67

追われている母親でそれどころではなかったのである。

ところが、足の痛みに苦しむなかで、その夢が突然私に呼びかけてきたのである。

「このまま、一生歩けなくてもいいの?」

「この家の中だけで、一歩も外に出られずに死んでもいいの?」

「ヒマラヤに行けなくてもいいの?」

「敦煌に行けなくてもいいの?」

その呼びかけに、一生このままでいるよりも、足を動かしてみよう、動かしてひどくなってもこのまま部屋から出ることができない人生を送るより本望だと、思い切った決断をすることができたのだった。

その後長い時間をかけて、自分流に歩く訓練を始めた。階段を一日一段ずつ降りる訓練をする。明日は二段降りる。調子がよくても欲張らず、一日一日と数を増やしていった。決して無理をせずに、足の状態をチェックして、マッサージもくり返した。

私は自分の足に話しかけた。

「ごめんね。大切な私の足をこんなにしてしまって。これから大切に大切にしますから、もう一度歩けるようになってくださいね。そして、ヒマラヤと敦煌にぜひ行きましょう

68

ね」

三階の住居から一階に降り立つまで、約三カ月かかり、三分先の駅まで行けるように
なったのは、六カ月目であった。私の足は見事にがんばってくれたのだった。

それから十数年後に敦煌に行くことがかない、ヒマラヤを遠くから見ることができる
ネパールまで行くことができたのだった。

夢は実現不可能だと思っていても、願いつづけるのが夢だと、私は思っている。実現
不可能な夢ほど、実現したときの喜びは大きい。

ヒマラヤ

ヒマラヤへ行きたい、ヒマラヤへ行かなくては死ねない。と長い間思い続け、痛む足
でそっと歩けるようにと、一足一足歩く訓練していた時から十数年、ついにヒマラヤの
あるネパールへ行く機会を得た。

熱い憧憬を抱いていたブッダへの思いを込めて、私は娘と私の妹との三人で、仏跡参
拝のツアーに参加し、ブッダ誕生の地、ネパールのルンビニーにインドの国境を越えて

入った。

添乗員がバスの窓から外を指して「遠く向こうに連なって見える山が世界の屋根、ヒマラヤです」と私たちに説明してくれる。

「えっ！」私は電気仕掛けの人形のように、飛び上がって窓の外へ目を凝らした。遠くかすかに見えていたヒマラヤの連山が、しだいにはっきりしてくるのがわかる。

とうとう来たのだ！　ヒマラヤへ！　と感無量の思いが心の奥から込み上げてきた。

それは十数年目にしての実感であった。あの辛かった足の痛み、再び歩けないのではないかという不安と絶望の中、心に灯を点して夢を与えてくれ、歩く勇気と生きる希望を呼び覚ましてくれたヒマラヤの山々がそこにあった。

「ヒマラヤありがとう」。私は何度も感謝の気持ちを込めてお礼をのべた。

憧れ続けた山の峰に登ることは不可能であったが、ヒマラヤは私のお礼の心を受けとめてくれたことと思った。

アジアの東の国に住む一人の人間が、再起不能と思われた足の病を克服して歩けるようになり、ネパールまでやって来たことを、きっと喜んでもらえたに違いない。強く雄大な姿を輝かせているヒマラヤ連峰を見つめながら、大きく確信を抱いたのだった。

「着きましたよ、ルンビニーの園です」

そこは、ブッダが誕生した場所にふさわしく、見渡すかぎり深々とした緑におおわれていた。

二千五百年前の当時、このルンビニーの園は美しい花園と呼ばれていて、季節の折々にたくさんの花がこの地を飾り、優しい小鳥のさえずりが聞こえる楽園であったという。

この国の王の妃であるブッダの生母「摩耶夫人」は、いよいよお腹の子の臨月を迎えて出産のため、実家へ向かう途中、このルンビニーの花園に近づいた。

そのとき、突然陣痛が始まり、菩提樹の木の下でブッダを出産した。

そのいわれのある菩提樹は今もこの地に生きている。

生まれたばかりのブッダに、侍女が産湯としてつかったという池もあった。私はその池の水にそっと手を入れて目を閉じると、二千五百年前のタイムトンネルをかけ抜け、胸に熱い思いが込み上げた。

憧憬してやまないブッダの生まれたばかりの小さな体が初めて沐浴したこの池に、いま、私は自分の手をさし入れることができたのだ。

とうとうこの場所に来ることができたのだ。自分の体と心がそれを実感している。こ

れは確かに本当のことなのだという喜びが心身のすみずみまで伝わっていった。

ブッダ誕生の地を後にして、次の目的地であるブッダがその生涯を閉じた「クシナガラ」の涅槃堂へ向かった。

来た時と同じように、ネパールとインドの国境を越えて再びインドへ戻った。

悠久の時間が、そのまま変わることなく今も続くインド。薄い灰色の画のような朝もやが立ちこめる、真昼の四十度近い暑さの中では考えられないような肌寒さの中、人々は全身を布に包んで早朝から野良仕事をしている。

どこまでも見渡すことのできる道の両側に広がる風景は、行けども行けどもその姿を変えることがなかった。

「皆さん、道の両側に小さなドブ川がありますが、このドブ川は二千五百年前からここにあって、当時はきれいな水が流れていたと伝えられています。旅人は暑さの中で、この水をすくってノドをうるおしたという、多分、お釈迦様も飲んだことと思います」

はるかな時間を超越して、変わることのないインドがそこにあった。

先年他界した、デザイナーで仏師でもあった山口節子氏が、自身の彫った釈尊像を背中にしてインド仏跡巡礼の途中、この道を通りながら、何千年も変わらないたたずまい

72

と道の両側を流れる小川を見つめて、次のような思いに到ったという。

「この道を目指して最後の旅を続けておられたお釈迦様が、何故この道を選ばれたかがわかった。それは、お釈迦様も人の子だったとふと気がついたからなの。あと数カ月の命を悟られたお釈迦様は、最後の力をふりしぼって生まれ故郷にお戻りになろうとしたのだ。あの道にいてそれがわかったの」

その道をいま私は通っている。ブッダは、最後に目指されていた故郷へたどり着くことなく、私がこれから参拝する目的地、クシナガラで生涯を終えられたのだった。

世界の救世主のお一人である、偉大な宗教家ブッダも、私たちと同じ人の子であり、私たちが求めているの同じように、安らぎを覚えるところは母の暖かい懐であったということを、小川を見つめる目が涙でかすむ中で、はっきりと理解できた。

敦煌

井上靖氏の『敦煌』が出版されたとき、私はすぐに書店で買い求めて読んだ。それまでの私は、中国についての知識は全くなく未知の国であった。

本を読み、深い感銘を受け、敦煌が実在する場所であることを実感するようになった。

私は「サハラ砂漠」や「ゴビ砂漠」など、砂漠が大好きである。敦煌はそのゴビの砂漠にあったのだ。

本当に、敦煌が中国にあるのだ。行ってみたい、この目で見てみたいと、夢はふくらみ、私の敦煌へのあこがれは、時間の経過とともに強くなっていった。

それから、幾年かが過ぎた。ある年、東京駅の大丸百貨店で敦煌展が開かれることを知った私の驚きと喜びはたとえようもなかった。子育て真っ最中だった私が展覧会場に出かけることは、とても考えられなかったが、やりくりしてなんとか一人で出掛け、むさぼるように見た。

「敦煌莫高窟」が雄大な砂漠の中にそびえる姿を、写真によって明確に知ることができた。千仏洞のたたずまいや、数え切れない無数の窟が山の中腹に立ち並んでいた。

その窟の中の一つ一つに千五百年もの永い歳月をかけて人々の平和と幸せを祈願して、み仏に供養を捧げる絵画や塑像が表現されていた。

表現の内容はすべて仏伝であり、み仏への賛歌であった。私の胸は高鳴るばかりであった。行ってみたい、この目で見てみたい、という気持ちが更に高まった。

74

千五百年のときの流れを経て、二十世紀の初めに、シルクロードの交差点ともいわれる敦煌に膨大な数の石窟群を有する莫高窟があることを、初めて世界の人たちが知ったといわれる。私の場合は、井上靖氏の『敦煌』の本のお陰で知ったわけで、私は井上靖氏に感謝をしている。

大丸の敦煌展がきっかけで、私の頭の中には敦煌へ行くにはどうしたらよいのか、という思いが広がっていった。

しかし、現実は敦煌どころではない。商店で、人家族をかかえ長男の嫁として四人の子育て中であった。毎日が必死であった。乗り越えられない心のストレスがいつも起きて、とても辛い日を送っていたころであった。

当然のことながら、朝起きると頭が痛む。吐き気がする。いつも心がすっきりとしない。さわやかでない。目に見えない何かが澱んでいた。

「どうして、私ばっかりこんなに大変なの」

そんな思いがわき上がるときでも、具体的に敦煌行きを実現させようと考えていると、とても心が楽しくなって来る。夢が次から次へと広がって、気がつくと、私はゴビの砂漠にいた。

不思議なことに、敦煌行きを思うと、今までとても苦しいとか、辛いと思っていたのが、どこかに飛んで行ってしまうのである。そのようなことが起きるようになってから、私は敦煌に話しかけるようになった。

「この問題、とても大変、でも、クリアーできたら、敦煌行きが早まるかしら」

「乗り越えたら、必ず敦煌に行けますよね。じゃあ、がんばります」

乗り越えられそうもない困難な状況になったときに、必ず私の夢の敦煌が現れ、手を差しのべてくれるのであった。どんなにか勇気づけられ、励まされたことか。夢は私を本当に支えてくれたのであった。

そしてとうとう井上靖氏の『敦煌』と出合ってから二十数年を経て、私の敦煌行きが実現した。その感動！　喜び！　夢心地であった。どう表現してよいかわからない思いであった。

莫高窟の回廊を踏みしめながら、一つ一つの窟に千五百年間もそのまま残っていることの驚き、前時代に生きた人々の仏教への深い思いが、そのまま見る人の心に伝わる壁画や塑像がそこにあった。夢のような心地であった。

莫高窟を取り囲む周辺に、何度も写真で見ている、美しい砂丘の鳴砂山があり、その

中に、永遠のときを刻む月牙泉があった。

そして夜は、美しい星が無数に現れる。日本では見られない銀河が、なんと莫高窟の九重楼に向かって、見事な姿で輝くのである。

敦煌は素晴らしかった。

敦煌莫高窟よ、ありがとう。

あなたに夢をかけて、本当によかった。私を助けてくれたことに心から感謝します。時間をかけて願った夢ほど、実現されたときの喜びは大きい。その感銘の深さを、私は知ることができたのだった。

今を生きる

明るい明日を信じよう。

今日を大切に生き、明日は希望に満ちた明るい一日になると信じよう。

すべての未来は、過去から現在を通り抜けて行き着くところである。その先の未来に大きな夢を持ち、願いを持つこと、そのことは、現在をどう生き切るかの答である。

「今の私がこうなのだから、どうせ明日はたかだか知れている」

「世の中って、どうもがいてもどうにもならない」

そんな思いで今日を生きることと、

「明日は、新しい日だ。大きな希望を持って、今日を生きてみよう」

「今日の生き方で、明日が、未来が作られるとしたら、今日を元気に、そして未来の元気な私のために生きてみよう」

自分の未来は自分にしか作れない。明日を決めるのは、自分である。

今の一瞬、一瞬の生き方が明日を作り上げていく。未来に大きな夢をもち、実現できるように願い続けることが、今日をどう生きるかという答えだと思う。

歴史上の偉大な人々の伝記に思いをめぐらせると、そのことを裏づける物語がたくさんでてくる。

一つのわかりやすいお話に、小野道風の柳と蛙の話がある。柳の枝にぶらさがろうとして何回も何回もあきらめずに必死に飛び上がる小さな蛙の根気のよい姿をみて、道風が、書道家としての道をあきらめようとした自己の心の弱さに気がつき、再び精進の道に入り、書の大家として後世に名をのこすまでになった。

古今東西、偉人として名を残した人々たちに共通している大きなことは、いかなる困難や迷いがあっても自分の志をあきらめなかったことである。どんなに時間がかかっても、失敗しても、また人々から中傷されても、根気よく続けてきたことが、実現へとつながったのである。

二十一世紀を生きる私たちは、力強く生きた先輩たちの生き方を、今改めて学ぶときである。

この偉大な人生を生きた先輩たちには、もう一つ大切な共通点がある。自分の夢（願い）の実現は、社会に貢献しようとする心がエネルギーになっていたということである。社会に貢献するという言葉は、何かおおげさに聞こえるが、たいそうなことではなく、自分の心が健全に、社会の中で生きつづけられることではないかと思うのである。

夢（願い）の実現を願っていると、小さなこと、ささいな感情の行き違いに目くじらを立てて、それにかかわる時間が惜しくなってくる。多少の気になる出来事は見過ごし、自分の心の中にいつも夢（願い）を持つ事によって優しい心が培われていくのだと思う。豊かな心になってくるのである。

「今を生きる」。今日という日、今という時を大切に生きるということを、折ある毎に意

識する。　失敗してもあきらめずに、　根気よく目標の達成のために努力し続けて行くようにする。

明日の私の心に平和と優しさが培われることを信じて、今日を誠実に生きていきたい。

幸福へのアプローチ

愛と可能性を育む教育

松井 ケティ

はじめに

幸福というものは各自の運命に基づくと思うが、運命は各自の生き方によって、よくも悪くも変えて行くことができると信じる。したがって、各々が育った社会、家庭環境の中で教育を受け、自らの生き方を選択することよって幸福への道が開かれるであろう。

それでは、どのような環境と教育が幸福をもたらすのであろう。不幸を招く落とし穴は何か。さらに、どのような能力を身に付けることによってよい選択ができるのか。

幸福とは穏やかな魂や心を表すのではないかと考えられる。穏やかな魂や心が幸福を呼ぶともいえるであろう。経済的な安定、紛争がない環境、豊作に恵まれ、食べ物に困らない生活、災害や悪天候から守られる住まい、よい人間関係、貪欲や妬みなどの悪徳に犯されない心などなど、幸福になる条件は様々である。そのなかで、自分で扉を開くことのできる幸福へのアプローチがあるとしたら、誰でもそれを知りたいと思うであろう。それは、子どものころから、いや、親と胎児の関係のころ始まる道なのである。

幸福へのアプローチは、どうしたら可能になるのか、それをこれから展開して行きたいと思う。

第1章　幸福への環境

幸福から遠ざかる落とし穴──大人の勘違い

子は親の所有物ではない

人間は、だれでも「愛と可能性に満ちた自分」として生まれてくる。だれもが必要な掛けがえのない一個人であり、この世で自分という人はたった一人しかいない。

「愛と可能性に満ちた自分」として生まれてきた子どもは人類の宝物である。未来の社会人、いずれ大人になる大事な社会の人材であり、地球市民でもあるのだ。将来大人になったら、暴力や権力を使ってものごとを収めるか、建設的な交渉術や知恵と愛で問題

84

を解決していくのかは、子どもが育った環境、家族、学校や人間関係によって異なるのである。したがって、親は子どもが社会に出るまで、将来の市民を大切に預かっているという認識が必要である。

親が子どもを自分の所有物のように思ってしまうと、子どもが好まない洋服を買って着飾らせたり、自分が果たせなかった夢を子どもに託したり、社会に沿わない自分の価値観をおしつけたりしていると、子どもに無理をさせ、気づかないうちにかなりのストレスを子どもに与えてしまうことになる。

親が子どものためによかろうと思って意見をいうときには、子どもがそれを拒否してもよいという選択肢を与えることが必要である。子どもも一個人であって、自分の夢を独自に持っている。もし子どもが親の考えに沿わないような意思を示したら、別の選択肢を自分で考えさせ、親を説得するぐらいの説明ができるように指導するのも、家庭の教育である。もちろん、これを実行するのは親にとっては容易ではない。

そこで、親の教育の問題になる。責任をもって将来の社会人を預かることは、一般的に大変な任務だといえるであろう。したがって、親も学ばなければ、家庭教育はままならない。親だって人間であり、弱点もかなりある。人間は完璧ではないから、なんらか

の指針が必要である。

まず親と子はどのようにコミュニケーションをしていけばよいのかを考えてみたい。

私も人の親である。子どもがしたことや、いったことが、普段聞き流せるような

でも、日によってひどく気にさわることがある。そのようなときに、必要以上に叱った

り、子どもの魂を縮めるほどひどいことをいったりしてしまうこともある。冷静になっ

たときに、なぜそんなことをいってしまったのだろうと後悔する。夜、子どもが寝たあと

でそっと寝顔を見ると、天使やお地蔵さんのような純粋で可愛らしい顔で眠っている。

その姿を見て、また深く後悔したりする。

そのようなことが何度かくり返されたので、子どもを必要以上に叱ってしまった後、

どのように対処すればよいのかを、職業柄色々と研究した。その結果、私は、次のよう

にフォローするようにしている。

子どもを叱った翌朝、

「昨日はママがあまりにもこわく怒ったから、びっくりした？ ちょっと、怒りすぎた

かなあ。なぜ、あんなに怒ったかわかる？」といって理由をきちんと説明する。そして、

この一言は絶対いうようにする。

「ママはあなたがとても大事で、愛しているからね」

この一言をいって子どもを抱く。子どもにもどう感じたかを聞く。話し合いは互いの気持を探る必要がある。互いにあとに引きずらないようにして、問題があったときに解決を見出すのが望ましいのだ。未解決な出来事は必ずあとで、場合によっては、十年後や二十年後によみがえって来るときがある。

ある友人の例をお話ししたい。

彼女は、結婚し子どもにも恵まれ幸せな結婚生活を送っていたが、夫の女性問題が発覚し、離婚するかどうかの選択に迫られていた。心身共疲れきって、ノイローゼ寸前になり、極度のアトピーのため痛痒い状態が続き、苦しんでいた。そのようなときに彼女は、看病と子どもの世話に来ていた自分の母親に、自分は子どものころ、こんなことを我慢したとか、あんなことがいやだったと、昔母親のからみからひどく傷ついたことを責めたてていた。何十年も前から引きずっていることがあったとは、彼女の母親は思ってもいないことで、だいぶショックを受けていたようであった。

親が本当に彼女のためと思ってしたことが、彼女にはかなりのプレッシャーだったのであろう。彼女が子どものころにも、いくつかのサインを出していたのだが、親は読み

取ることができなくなったのではないかと、二人の話を聞いて思った。

この場合、親を責めることはできない。なぜならば、子どもから間接的に訴えられたとき、たとえ自分の子どもであっても、心の奥底にあるメッセージを読み取ることのできる親は少ないからである。

友人はその出来事がきっかけで、自分の胸の奥にあったものを話すことができた。彼女の母親はその過去の問題を直視し、立ち向かわざるを得ないことになった。問題が実際に起きてから時間はだいぶたっていたが、今もう一度チャンスを与えられたと考えて解決すれば、心を穏やかに平和にすることができるのだ。

親子は問題に立ち向かい、互いが向かい合って、もう一度対話をし、互いの気持を探り、理解し合うように努力した。

友人はだんだん元気になっていった。もちろん、漢方や医学療法による治療を受けていたので、それも多いに効果があったのだが、同時に精神面のバランスが整うことによって、回復を促進させたといえるであろう。

この例からも、平和と正義の教育に携わる私としては、子どもも親も互いを慈しむコミュニケーション法を早くから学ぶ必要があると感じる。それによって、互いの気持を

もっと楽に、そして、正確に読み取ることができると思っている。

未解決な問題があるときに、ましてそれがたくさんつのると、思いがけない結果が待ち受けていることがある。一番物事がうまく行って欲しいときに、なぜこんなときにこんな事件が起きるのだろうというような思いがけないことが起きるのだ。だから、日頃誰かと問題が起きたときには、その日、その時に互いにしっかりと話し合い、解決するように過ごすことが大事だと確信した。

「問題児」として子どもを見ることが問題事

子どもは純粋である。だれもが昔子どもであった。大人は、子どもの考え方や行動は経験済みなので、子どもの気持になれるはずだ。しかし、多くの大人たちは自分が以前幼稚で純粋だったころの自分を、子どもであったことを忘れてしまう。そして、子どもに必要以上のことを要求したり、「失敗」に対してあまり寛大になれない。

でも、失敗は命にかかわらない程度のことだったら、人間の成長には大いに必要なことである。「失敗」はそのあとの姿勢が大事なのである。自分自身に色々な質問をするとよいであろう。

「なぜこうなったのだろう」、「何を教えてもらっていたのだろう」

「失敗」から学ぶことによって建設的に前へ進むことができる。また、「失敗」を恐れずに新しいことにチャレンジし、自分から成長するきっかけを作ることも必要である。

子どもは、親が「失敗」に対して、どう対応するのかを見ている。子どもの「失敗」を問題として扱うか、それとも、人間として成長するための教材として、子どもが成長していく手伝いをするのか、親の判断によって子どもの人生の捉え方が変わっていくであろう。

また、自分の基準に沿っていない子どもは問題児であると子どもを見てしまうと、その子どもの本質的な美徳が隠れてしまい、子どもの可能性を封じてしまう恐れがある。

私の息子が小学生のころ、彼のおとなしさを、問題だと見た先生と、時間をかければ芽生える性質だと思った先生がいた。問題だと感じた先生は、積極性を求められるアメリカの環境では、彼は学問的に伸びる可能性は少ないと懸念された。一方、翌年の担任の先生は、彼の性格を、自分を例にあげて時間をかければだんだんエンジンがかかって来る性質だといった。息子は先生のそのような激励の言葉があってから、今まで見せなかった意欲を出し、成績はどんどん上がって行き、学年末には表彰された。一度先生か

90

ら激励されたことによって、自信がついたのだ。その後、ずばぬけてよい成績ではない

が、結構よい結果を出している。私は今でも、その先生に感謝している。息子にとって

も、尊敬できる大人に出会えたことは恵みであった。

　息子とは裏腹に、娘は積極的で、好奇心が旺盛で、冒険好きでもある。彼女が一、二

歳のころ、私は知らず知らずのうちに娘に向かって「悪い子ね」とか、「駄目」とよく

いっていた。それを見ていた私の母が「悪い子ね」などいっていると本当に悪い子にな

る、もっと褒めることをいうようにと、注意してくれた。はっと私もそれに気がついた。

悪いことばかり目について、よい子のときはあまり褒めることをしていなかったのだ。

それからは、褒めるように心がけた。いけないことをしても、「悪い子ね」とか、「駄目」

という言葉を使わずに話しかけるようにした。

　毎日の生活に追われていると、人からいわれて初めて気がつくことが多い。

　私の友人から、ついカッとなって、十二歳の娘に「おまえなんか、死んじまえ」とい

ってしまったがどうしよう、と相談があった。いってしまったのだから、フォローは必

要である。どうフォローするかは、人さまざまであろうが、自分だったらどうするかを

話した。

まず、「ついいってしまったけれど、ごめんなさい。いったことが本当になったらとても悲しい」といい、「あなたはとても大事な人だから、あなたの幸せを考えるとつい一生懸命になりすぎて感情的になってしまう」という。そして、なぜあんなに怒ったか説明をする。それで、子どもの気持ちを聞く。そのような感じで何回かやり取りをすることによって、互いの信頼を回復するようにする。

お互い同じ人間で感情も同じように持っている。親も子どももお互いいったことや、やったことによって互いに心を傷つけたり、暖めあったりする。日頃から親子でお互いの気持ちを話し、聞くことができていれば、親は子どもの微妙な変化に気がつくことができ、子どもの様子を伺うことができるのではないであろうか。

「多動性注意欠陥障害」という、子どもの障害についてのドキュメントを、テレビで見たことがある。その障害をもつ子どもは非常に活発でじっとしていられない。また、「注意欠陥」で、学校の授業などに、おとなしく聞いてついていくことができない。したがって、学校の先生や一般の大人からは、その子どもは授業の妨げになったり、勉強するための集中力にも欠けているので「問題児」のラベルが張られる。

しかし、歴史上子どものころ、この障害をもつ天才的人物は多いという。例えば、電

信機・電話機の発明家のトーマス・エジソン、ルネサンス期の画家レオナルド・ダ・ヴィンチ、幕末の志士だった坂本竜馬などがいる。多くの場合、大人になっていく過程でこの障害が消えていくそうだが、大人になっても障害を持ち続ける人もいる。天才にならず、社会秩序からはみだすものや犯罪者となる場合がある。この天才になるか、犯罪者になるかの差は紙一重で、子どものころの環境と育てた大人たちによるといわれている。

トーマス・エジソンの母は彼の短所を把握し、彼が何を必要としているか理解していたそうだ。エジソンが九歳で学校を退学になったとき、母親は彼の興味を発掘するために本を何冊も買い与えた。そして、彼が科学に興味を持っているとわかったので、自然科学の本と数々の実験ができるように実験室を与えた。

レオナルド・ダ・ヴィンチの場合は、とても孤独な子ども時代だった。彼が子どものころに母と父は離婚し、彼は父の元で暮らすことになった。学校では問題児として落ちこぼれ扱いをされ、彼の短気な性格は友だちを近寄らせなかった。しかし、彼は芸術的な才能があることに気がついたので、人気が高かったアトリエに徒弟として入り、そこでさらに才能を磨いたという。

坂本竜馬の場合は、小さいころ母をなくし、長女の姉に育てられた。彼も学校では厄介者として拒否され、友だちもいなかった。しかし竜馬の姉は彼の長所を知っていたので、家で彼を教育した。彼を十分理解し、彼の美徳を把握していた人に育てられたのである。

多動性注意欠陥障害を持つ子どもは、興味を持てることには集中でき、自分の才能を十分発揮できるのである。

社会の落ちこぼれになってしまった者は、彼らを問題児として扱う環境で育ったのである。家では物を壊したり、異常に活発であることからしかられ、学校では集中力がないと叱られ、友だちには短気だと嫌われ、苛められる。また、物事に深く興味を示すことから、変人扱いをされてしまうのである。すべてが悪循環となっていく。

この障害はリマリンという薬で治療ができるが、薬に頼らない自然な手当も考えられる。

自然な手当とは——

(1) 自分を褒めること、または、親が子どもを褒めること

(2) 毎日鏡の前に立ち、五つ自分のよいところをさがすこと。そして、自分を磨くために五つ自分を変えられることを探すこと。

94

(3) 自分を客観的に分析できるように、感情や問題を記録すること。

この手当は、障害を持たない子どもにも必要な行動である。「愛と可能性に満ちた自分」をみつけることは、自尊心を高め心を豊かにする。自信をつけるための方法は、障害がある子も、ない子も皆同じように実践されるべきである。

自分の長所を認識し、それを育てる環境があれば、だれもが才能を発揮し、成長することができるであろう。

幸福への環境作り

核家族より村中で子育て

子どものころ、よく親に叱られた記憶がある。見捨てられたくない一心から一生懸命謝っている自分が思い出される。にもかかわらず、また、叱られることをしてしまうのだった。

母の財布から一万円を盗んで、となりの文房具屋さんで二十八色のクレヨンを買おう

としたことがある。四十年ぐらい前の一万円は、小さい子どもが持つにはずいぶん大金だと感じた店主から親につげられてしまったこともあった。また、行くなといわれた近くの山は大好きな遊び場だった。真っ黒になって帰ると、母に「山へ行ったの？」と怖い顔で聞かれる。「違うよ、学校の運動所で遊んでいたの」など、うそをよくついた。

叱られると夜におねしょをしてしまう。そうすると、母は「いやだ、いやだ」と抵抗する私をベッドから引きずり降ろし、「犬小屋で寝なさい」といって叱った。私は子どもながら結構傷ついた。そんな私を見ると、祖母は何時もやさしく慰めてくれた。おねしょをあまりにも頻繁にするので、「今度温泉に行こうね、おねしょがきっと治るからね」といってくれたことは今でも忘れない。

同じ屋根の下にバランスよく「叱る人」と、「やさしく守る人」がいるのは、子どもにとってはありがたいことである。どちらも子を思う気持は同じだが、子どもは叱られるばっかりだと、萎縮してしまうので、やさしく守る役割の人が必要になる。これは核家族では難しい。親は経験の浅い子育てと、普段の生活を両立させることで精一杯であ
る。毎日の生活の疲れから、決してそこまでいってはいけないような言葉を、子どもにいってしまうことが多くなる。

そのようなことは、起きるたびにフォローする必要がある。親子が共に傷ついたまま

では、家庭崩壊のレールに乗ってしまうであろう。

　もし、親子のほかに、祖父や祖母のような家族が一緒に住んでいると、親とは別の役

割を持つことができる。傷ついた小さな心を慰めたり、場合によってはしつけをするこ

とができるのだ。そんなふうに、家族全員で子育てができることが望ましい。ましてや、

社会の皆で子どもを育てることができれば、なお望ましいといえる。

　アメリカ合衆国の元ファーストレディーで、現在上院議員のヒラリー夫人が書いた本

『村中みんなで』は、アフリカの諺からつけた書名で、村の大人全員が村の子ども全員

を、自分の子どものようにしつけたり、愛情を与えて育てていくのが子育ての理想であ

る、という考えに基づいて書かれている。

　これは数十年前の日本でも見られた光景ではないであろうか。それがいつのまにか核

家族が増え、隣近所のつきあいも薄れてしまった。自分さえよければよいという考え方

が主流になり、子育ても、自分と自分の子どもだけとのかかわりになってしまっている。

　村中で子どもを育てる文化は、ネイティブアメリカンの社会にもある。

　彼らの村では、酋長は村の女性たちが選ぶという。それは男たちの中で誰が一番リー

ダーにふさわしいか知っているのは、彼らを育てた女性たちだからだという。上に立つのは男性であっても、子育てをするのは女性である。女性たちの価値観やしつけが、子どもたちの人間形成に大きな影響を与えることになる。子どもたち一人ひとりの資質は、子育てをした女性たちが一番よく知るようになるのである。

学校以外のところで、家庭や社会も、子どもの教育の場なのである。日本も昔のように、親、祖父祖母、となり近所のおじさんとおばさんと共に子育てができ、子どもはできるだけ多くの大人に愛され「愛と可能性に満ちた自分」を大きくできるといい。

そうできれば、現在社会で悩ませられている少年犯罪や十七歳の「キレ」が治まるのではないかと期待できる。

違いは個性として見る

人と人とが交流するときに、一番問題となるのが、自分の価値観でものごとを見てしまうことではないだろうか。血が通っている親子でさえも価値観や考え方の違いで口論になったりするのだから、家の外を一歩出るとさまざまな試練が待っている。同じ国で生まれて育ったもの同士でも、育った家庭が違うとこれはまさに、身近な異文化交流に

なる。

十人十色というように、皆各々一人の人間であり、個性がある。各々が育った環境により、ものの見方や風習、食べ物の好みなど同じ日本人でも皆違うものである。

私の母は日本人で、父はハワイ出身のフィリピン系のアメリカ人である。私が子供のころ、父はアメリカ海軍に勤めており横浜に駐在していた。私は日本で生まれ育ちながら、横浜のサンモール・インターナショナル・スクールで教育を受けたので、西洋の文化と英語の言語を身に付けたのである。日本の文化とアメリカの文化を十分理解していたと思っていたが、日本人で三鷹市住民である夫と結婚した当時、同じ屋根の下で暮らして見て、意外にも日本の文化を理解していなかった事に悩ませられた。主人の優しさや思いやりで愛情を感じるのだが、名前を呼んでもらったこともなく、まして愛していると言われた記憶もないのである。

思えば父も、母が「愛している」と言葉に出したり、出かける時にキスをしたり、抱きしめたりしてくれないと嘆いていたことを思い出した。アメリカの風習だけではなく、フィリピンでも愛を体で示したり、言葉で表したりするのだ。そのころ、父が長い船旅に出ると、母の手紙を私が英訳して、母が知らないところで母の口紅を自分の唇に塗り手紙の最後にキスマークを付け、「愛している」と勝手に書いたものだ。父はそれを知

らずに母の愛情を遠く離れたところで感じていたと思う。

私は主人をそのまま、彼の個性として受け入れる努力をした。中根千枝の『タテ社会の人間関係』や土居健郎の『「甘え」の構造』などを読み、日本人の文化、社会や考え方を勉強した。二十年以上夫婦をしている現在では、名前を呼んだり、愛を言葉で表さなくても、愛を感じられれば何の不都合はないと思えるようになった。色々な出来事を共に分かち合い乗り越えて行き、年月が経つにつれて、言葉で表さなくとも、通じ合えるようお互い成長したのかもしれない。今では私はすっかり三鷹人である。

外国の人々と交流すると、歴史、地理や環境による文化の違いや言葉の壁にぶつかる。自分が育った文化のなかではあたりまえのことや普通のことでも、他国では異常に見えたりする。また、自分も自分の価値観で人を判断して、他国の人の考え方や行動を、おかしなものだと思ってしまうことがある。

アメリカ人は一般的に挨拶するときや、紹介しあったり、会話をするとき互いの距離は大体四十五センチから六十センチである。しかし、この距離はかならずしも他の文化の人にとって居心地のよい距離とはいえない。ラテン・アメリカ、北アフリカ、中東の人たちはもっと近くで対話をする。また、東洋人はもっと離れた距離を好む。日本人の

100

場合も離れている方が居心地よく感じる。特に上司や教員など、目上の人に対して話をするときに距離が保たれる。

また、私たちは、障害者と健常者が共に暮らす社会に住んでいる。どちらも同じ命をもつ人間である。障害者も健常者も各々の生活している環境の中で、生き方の選択が違うことがあっても、生きる情熱に差はない。

多様な社会の中で、皆がお互いの違いを個性として見ることができれば、他者と交流することは、何も難しいことではない。自分とは考え方、肌の色、健康状態などが違っても、まず相手を一人の人間として、そのまま理解し、受け入れる姿勢を持つことである。それによって、相手との相違点を問題として見なくなるであろう。それがその人であり、その人の個性なのだ。そのままのその人として受け入れる努力をして相手をよりよく知ろうとし、理解できないことは、質問をしたりして目的や意味の確認することが次のステップである。自分と相手の立場の違いによってどう実践できるかいくつか例を見てみよう。

親子の場合、門限を親は子どもが望んでいるより早い時間に決めがちであるが、子どもがきちんと計画を立てていることも考えて、なぜ子どもがその時間を望むのか尋ねる

必要がある。子どもを信用して、子どもの考えも聞く耳をもっていると示すことができる。頭ごなしに「駄目」というと、次からはうそをついてやりたいことをやるようになる。

嫁と姑の場合、家事の仕方などお互い育った環境と時代の違いで対立することもあるが、何をどうしたらお互いにとって一番やりやすいか、話し合う必要がある。嫁は姑が家事や人生においてベテランなので、姑を立てて意見を述べる。姑は嫁が育った環境ではどのようなことをしてきたのか、聞ける体制をつくる。お互いを理解しようとする気持ちの上で、話し合う必要がある。

友人とはお金の貸し借りに対して許せる金額の違いがある。借りる側は借金をするときに、何のために必要なのか説明をする。貸す方は自分の方針があれば、それを提言する。たとえば、お金を返してもらえないかもしれないことをあらかじめ考慮して、それでもよい金額を提示する。そして、理由を説明する。たとえば、「友情をこわしたくないから」などという。お互いの気持ちと立場を理解する必要がある。

障害を持つ友人に対して、どう行動すればよいのか相手の身になって理解する努力が必要とされる。たとえば、相手のためにと思って先走って勝手に色々やってしまったりしたことが、かえって友人の自立心を尊重していないととられることがある。

違いのある相手をそのまま受け入れるには、まず自分を知ることが必要である。自分は生きる価値ある人間であり、長所も短所もある。全部まとめて良さも悪さもある。自分で自分を認め、好きにならなくては前向きに生きて行けない。そのような自分がいるのなら、相手も同じく短所や長所、良い所と悪い所を持つ同じ人間であると、自分も相手も愛と可能性に満ちていることをまず理解する必要がある。

子どもの本質は愛と可能性に満ちている

冒頭にも述べたように、人間はだれでも「愛と可能性に満ちた自分」として生まれてくる。だれもが必要な掛けがえのない一個人であり、この世で自分という人はたった一人しかいない。自分がこの世で大事な存在であるのならば、他者もまた掛けがえのない一個人である。したがって、お互いを慈しむことを前提にかかわることが大切なのだ。

私たちは毎日様々なストレスに直面している。特にたいへんなのが人間関係である。一緒に住んでいて互いを大切に思っている親子や夫婦でも、対立する問題が生じると傷つけ合ってしまう。愛しているからこそ、傷が深くなることもある。問題を引きずったまま学校や会社に行き、そこでも友だちとけんかをしたり、先生や上司にがみがみ叱

られると、傷はさらに深くなる。傷が深くなるほど「愛と可能性に満ちた自分」はどんどん小さくなって行く。小さくなって自信をなくしたり、精神的に不安定になったりすると、病気になることもある。そのような最悪の事態にならないために、「愛と可能性に満ちた自分」を大きくする、常に心身健康に保つための技術が必要である。その技術こそ「自分と他者を慈しむコミュニケーション法」なのだ。

どのような姿勢で大人は子どもと話すべきであるかを、次に紹介する。

ユニケーションを上手にできる大人を模範として学ぶといわれている。子どもは、コミ他者と話をする技術は、子どものころから身につけることができる。

子どもと話す大人の態勢

大人は、子どもとコミュニケーションをとるときに、どのように話しかけているのだろうか。子どもは年齢や発達によって自分の考えを伝達する能力は異なるが、たいてい子どもが接する大人は親や学校の先生で、大人の方がはるかに理論的に話す力があり、頭の回転も早く、簡潔な話し方ができる。しかし、子どもは頭の回転が早くても、言葉がその回転のスピードについて行けないことが多い。

大半の大人はせっかちで、子どもの話を最後まで聞かずに、割り込んだり、質問したりする。子どもは接する大人によって、自信や信頼感を高めたり、なくしたりもする。

私たち大人が子どものコミュニケーション能力に繋がる雰囲気や環境を作るのである。

そして、私たち自身に、子どもによいコミュニケーション法の模範を示す役割がある。

上手なコミュニケーション法を身につけることによって、幸福への一歩を歩み出すことになるといえるだろう。

ある教師向けの初等教育指導テキストに、子どもと対話するときにどのような態度で接すべきかが紹介されている。では、私たち大人が、日頃よい態度で子どもと話しているかチェックしてみよう。

1. 子どもと話すときは目を見て話す。

2. 子どもが話している内容が理解できないときは言い替えて、わかろうと努力する。

3. 子どもが話すことや答えを繰り返さない。

4. 必要であるときだけ子どもを褒める。

5. よい悪いの判断をしないで（色眼鏡で見ないで）子どもの行動を見ることができる。

6. 子どもと同等になって自分の体験話や失敗談などを子どもに話せる。

言葉でいっていることに、体の表現（態度、表情）が伴わないことはしない。

7. 子どもに質問をし、子どもがすぐ答えないときは急かさないで、少なくとも五秒は待つことにしている。

8. すぐ割り込まないで話を聞くようにする。

9. 子どもと話すときは、「おねがい」「……ください」「ありがとう」「ごめんなさい」というようにしている。

10. このチェック・リストには以下の通り、一つ一つに重要な理由がある。

1. 子どもと話すときは目を見て話すことによって「きちんと聞いています」という姿勢をみせている。

2. 子どもが話している内容が理解できないときは言い替えて、わかろうと努力している姿勢を見せることによって、「あなたのことを思うからちゃんと理解したいの」という気持が伝わるのである。

3. 子どもが話すことや答えを繰り返さないことによって、話すときは大きな声ではっきりと物事をいわないといけないものだと、認識するのである。

4. なにもかも子どもを褒めると信頼をなくし、褒めることによって本来あるご褒美

的な役割が薄れてしまうのである。

5. 良い悪いの判断をしないで（色眼鏡で見ないで）子どもの行動を見るということは、大人が子どもの意見を「広い心で聞いているよ」という姿勢を示している。

6. 子どもと同等になって自分の体験話や失敗談などを子どもに話せることは、子どもとの信頼の雰囲気を深め、子どもも自分を開くきっかけになる。

7. 信頼を深めるもう一つの行動は、次の「言葉でいっていることと体の表現が伴わないことはしない」ことである。笑いながら叱るとか、怖い顔をして、褒めるとかすると、子どもはどうメッセージを捕えていいかわからず混乱するのである。

8. 子どもに質問をし、子どもがすぐ答えないときは急かさないで、少なくとも五秒は待つことによって、子どもに答えるチャンスを与え、真剣に子どもの話を聞きたいという姿勢を示すのだ。

9. すぐ割り込まないで話を聞くことは、子どもが話していることが重要であると示すことになる。これは、礼儀を示すことにもなる。

10. 子どもと話すときは、「おねがい」「……ください」「ありがとう」「ごめんなさい」ということも礼儀を示すよいお手本になる。

第2章　幸福への教育

ユネスコが紹介する教育

ユネスコが呼びかけている平和の文化とは

　未来を想像し、平和の文化を夢みる。美しい地球に敬意を示し感謝する。歴史にあった人間の愚かさを許し、寛大に互いを受け入れる。間違いを認め、学ぶことがある。

　人間が知恵を得て、どんなに成長しても、一人一人の考え方があり、育った環境や文化の違いがあることから意見の違いや争いがあるのは止む終えない。しかし、違いを尊重し、共存しようとする気持があれば、平和を築くことができるのではないか。そのた

めにはあらゆる面から働き掛ける必要がある。自分、他者、家族、教育、社会、国家、

そして、世界と、どれが欠けても平和の文化を築くことはできない。

たとえば、家族が安定しているように見えても、自分の感情が乱れていれば、それは

平和とはいえない。ましてや、家族が不安定であれば、いずれ、社会にも悪影響を与え

るであろう。根の深いところにある原因を見ずに、問題だけを見ても、それは解決への

ほんの一歩、全体像のほんの一かけらである。根にある原因を見つけ出さなければ、真

の平和の文化を築くことはできない。

では、〝平和の文化〟とはなんであろう。平和の文化とは世界の市民が地球的問題を

理解し、さまざまな問題を建設的に解決するスキルを身につけ、人権、ジェンダー、人

種における平等と文化の多様性を認め、地球の統合をはかる、このような国際水準を理

解し、実践することによって実現される文化のことをいう。

また、このような平和の文化を築くことは、国際的に絶え間なく組織的な平和教育を

しなければ、成し得ないといえる。平和教育とは、一個人、家族、社会、国家、世界の

平和を満たし、正義を植えつける教育である。平和、人権教育に取り組む、〝平和の文

化〟実現のための教育をすることなのである。

どこでどのようにしたら、このような教育ができるのであろう。

胎児期の教育から幼児期、家庭教育、小学校、中学校、高校、高等教育、生涯教育まで、あらゆるところで、色々な方法が可能である。胎児期では、まず母親が心身のバランスを保ち、愛と慈悲に満ちた感謝の気持ちを持つことから始まる。幼児期は親とともに愛と心の平和を体験する。四、五歳までが人間としての尊厳、命の大切さなどがしっかりと感情に植えつけられる貴重な時期である。

学校や大学では、授業の中に組み込むか、正式なカリキュラムとして置くことが大事である。同時に公式な教育機関のほかに、家庭や社会でも平和の文化実現のための教育の場を作り、実践することは可能である。また、社会人のための生涯教育の中にも取り入れるべきである。組織的、総合的な教育が行われれば、将来これから生まれてくる子どもに対して、母親も父親もすんなりと穏やかに胎教を行うことができる。

総合的に〝平和の文化〟実現のための教育を行うことによって、その実現が可能になる。総合的な方法がポイントだといえるであろう。

繰り返しになるが、もう一度重要な点を述べたい。

〝平和の文化〟実現のための教育は、すべてを総合的に成り立たせることによってで

きるのである。

　問題が生じるのには、理由や原因がある。それは、非常に広い範囲に及ぶ事項が作用して起こるが、その根底には感情がある。目に見える現象は、ほんのわずかのかけらを見ているにすぎない。感情を理解して物事を見なければ、問題を解決できないのである。

　また、問題が起きるのを防止することも考えるべきだ。そのためには、個人の感情の教育から始めなければいけない。その部分が心の教育ともいえる。

　価値観は各々の文化や個人が育った環境によって植えつけられるので、個人が生まれ育った場所によって異なる。しかし、美徳は普遍的だといえるであろう。それは人間として守らなくてはいけないことや、互いの尊厳を守るために必要なことであり、世界共通なのである。この美徳の教育が心の教育でもあり、幸福へのアプローチである。

　ここで、ユネスコ憲章前文を紹介したいと思う。ユネスコは、世界の教育を充実させることを目指し、ユネスコ憲章の前文を教育に取り入れることを一九七四年から呼びかけている。ここに書かれていることが、すべての国のすべての教育機関で教育課程の主体となれば、真の平和の文化を築くことができると信じる。

111

ユネスコ憲章前文

この憲章の当事国政府は、その国民に代って次のとおり宣言する。

戦争は人の心の中で生まれるものであるから、人の心の中に平和のとりでを築かなければならない。

相互の風習と生活を知らないことは、人類の歴史を通じて世界の諸人民の間に疑惑と不信をおこした共通の原因であり、この疑惑と不信のために、諸人民の不一致があまりにもしばしば戦争となった。

ここに終りを告げた恐るべき大戦争は、人間の尊厳・平等・相互の尊重という民主主義の原理を否認し、これらの原理の代わりに、無知と偏見を通じて人間と人種の不平等という教義をひろめることによって可能にされた戦争であった。

文化の広い普及と正義・自由・平和のための人類の教育とは、人間の尊厳に欠くことのできないものであり、かつ、すべての国民が相互の援助および相互の関心の精神をもって果たさなければならない神聖な義務である。

政府の政治的および経済的とりきめのみに基づく平和は、世界の諸人民の、一致した、しかも永続する誠実な支持を確保できる平和ではない。よって平和は、失われないためには、人類の知的および精神的連帯の上に築かなければならない。

これらの理由によって、この憲章の当事国は、すべての人に教育の充分で平等な機会が与えられ、客観的真理が拘束を受けずに探究され、かつ、思想と知識が自由に交換されるべきことを信じて、その国民の間における伝達の方法を発展させおよび増加させることならびに相互に理解しおよび相互の生活を一層真実に一層完全に知るためにこの伝達の方法を用いることに一致しおよび決意している。

その結果、当事国は、世界の諸人民の教育、科学および文化上の関係を通じて、国際

連合の設立の目的であり、かつその憲章が宣言している国際連合平和と人類の共通の福祉といういう目的を促進するために、ここに国際連合教育科学文化機関を創設する。

（一九四五年一一月一六日採択）

民間ユネスコはこの憲章前文に基づいて運動している。ユネスコ憲章に感銘を受けた人びとは色々な国で大勢いる。その人たちによって、五十年あまりにわたって平和のためのボランティア活動が続けられてきた。一人ひとりが日々の生活の中で、相互理解による平和な世界の実現を目指して活動し、連帯の輪を広げつつある。

だが、世界に、そして日本国内に目を向けてみると、平和の文化の実現にはまだ長い道のりがあると認めざるを得ない状況にある。

世界を「戦争と暴力の文化」から「平和と非暴力の文化」に転換させることを目標にし、皆で力を合わせ、「平和の文化」を構築するために取り組んでいきたいと思う。皆が平和の文化をつくる使命を与えられたことを、再確認すべきである。

ここでいう「皆」とは市民社会のみんなである。すなわち、人々の心に直接的な影響を与える政治指導者、政府・議会及び選挙によって選ばれた人々、教員、ジャーナリス

114

二十一世紀の教育

ト、インテリ、家庭、宗教指導者、様々なレベルの管理者、民間団体である。したがって、子どもをもつ親も主要な役割を担わなければならない。それぞれが協力することで、実効があがり、平和の文化を築くことができるのだ。

教育とは将来の成功と繁栄につながるとびらを開き、社会に貢献できるあらゆる機会や資格の条件を満たすために必要な技術や能力を与えてくれる。競争が激しいこの世の中で、人はよい教育が幸福と経済的に豊かな生活をもたらすと信じている。成功は人生で勝ちとるものであるから一生懸命勉強せよ、よい成績をとれ、有名な大学に入り、よい仕事につけ、などと頭に植え付けられて来た。だが、これで絶対に幸福を得ることができるのであろうか。

一九九五年にダニエル・コールマン（Daniel Coleman）博士が『エモーショナル・インテリジェンス』（Emotional Intelligence）という本を書いた。この本はEQ（"emotional quotient"）、すなわち情緒指数の重要さを紹介している。人生を成功させるのは、IQ

115

("intelligence quotient")、すなわち知能指数ではなく、EQであり、EQは人が幸せに

なるための大事な条件の一つであると強調している。

「サンフランシスコ・クロニクル」という新聞にこの本が紹介され、いかにこのEQの

研究が真の知能へつながる洞察になるかが書いてあった。

この本はたちまちベストセラーとなった。この本を読んだ人たちは、それまで考える

力に惑わされ、感じる気持が忘れがちになっていたことに気がつかされた。今まで物質

的な成功に幸福を求め、頑張ってきたが、自分のなかによい情緒指数を維持する技能が

あれば、常に自分と他者に幸福な気分をもたらすと気づいたのであろう。このような技

能は教育によって得ることができ、学習できるのである。

急激に変わって行く社会の中で、これからの教育は社会が求めている才能を持つ学生

にあらゆる機会を与えることだけではなく、それ以上のものが求められている。しかも、

あらゆる状況に対応できる独自の技能を発達させ、独自の価値観と個性を植え付けられ

るように学生を養成する必要がある。最近の社会の傾向は一般的に道徳的な誠実さが消

えて来ている。テクノロジーなどの技術の開発と平行するように、社会構造が細分化す

る傾向のなかで人間の尊厳も消えて行くように感じられる。

116

小、中、高、そして大学の教育は、現在の地球レベルの視点をもったカリキュラムを開発する必要がある。つまり、これからの教育は、人間の心を重視した先進技術と、学問的な知識に溢れるグローバルな社会を築くために、努力と力を注がなくてはいけないのである。

二十一世紀の教育はこの質に重点を置く必要がある。時代のニーズに答える教育でなくてはいけないのである。そのニーズに適した能力、技能、態度と価値観を発達させることによって社会で活躍し、貢献できるのである。ここでいう質とは、活動的で、責任感を持って自分の周りに広がる世界の出来事にかかわることができ、学生のニーズを果たすことができる教育のことである。社会の発達に貢献できる人材として、適性を形成する教育を応用し続けていける技能を与えることである。

また、教育は学生各々が自分を開発し、自分の能力に気づくことができる機会を与えなくてはいけないのである。それによって、自信を持ち、自尊心を高めることができる。自分自身を認めることができるようになると、異世代の同じ地域共同体に住む他者をも受け入れ、地球市民として尊厳をもって共生する環境を作り出すことも可能となる。

そして、対立や不和が生じたときには建設的な問題解決につながるコミュニケーション

と交渉法を身につけ、互いに利益をもたらす結果を出せる知識も必要である。

これらの価値観とは前章にも紹介したようにユネスコが呼びかける平和の文化を築くために必要な価値観のこともいう。ユネスコの宣言から何年も経つが、今日までにごくわずかの教育機関しかこの基本的な提案に答えていないのが現状である。二十一世紀の教育はユネスコが提案するカリキュラムを受け入れ、実践するための準備が整っている時期といえる。社会で成功するための能力と資格を与える教育としてだけではなく、責任感があり、互いに協力しあえる地球市民として、また、建設的に問題を解決できる交渉のできる人としての「価値観と力」を備えた人間を育てる教育のこともいう。真実を追及し、人間のために役に立つ仕事に情熱を注ぎ、幸福の道につながるよう行動に移すときが来たのである。

二十一世紀は人間としての真の質をもたらす時代となり、また、すべての生き物（人間、動物、植物）が互いの尊厳を認め、共生する時代とすべきであるのだ。変化に対応し、変化に見合ったニーズを提供し、国際的な相互理解につながる価値観を教育する必要があるのである。

教育やカリキュラム以外のサポートが必要

学校や大学はカリキュラムのほかに、学校としての役割も変わって行く必要がある。

現在、各方面から提起されている問題に対応するための総合的なサポートシステムが必要とされている。それについては、個人、学部や学科などにとどまらず、あらゆる方面で生じている様々な問題に対応するために『学生に対するサポートシステム』が必要である。

ここでは、自分が大学の教員であることから、大学を例にし、主に構内で目についた問題点を以下に列挙する。

授業や学業の面で悩んでいる学生が少なくない。不真面目だからではなくむしろ真面目な学生ほど、「授業についていけない」「レポートをどうまとめたらいいのかわからない」と『学生相談室』に訴えてくるケースは少なくない。地方出身の学生で、一人暮らしや都会での生活になかなか慣れない学生は、孤独感や疎外感を抱えがちである。

留年する学生も増加しているのが現状である。卒論が書けない学生もいる。

休学・退学が増えている傾向にあることの理由は様々なようだが、留学や他の大学へ

の進路変更のような、前向きな選択であるならば、本人の自立のために応援するべきである。しかしながら、大学生活に目的や目標を持てず、入学した大学の良さを理解しないままそのような事態になることは、極めて残念なことである。

問題解決の能力を身に付けられるような援助が必要である。小さな問題であっても、対処方法を本人が知らないために、取り返しのつかない事態にまで発展してしまうことがある。例えば卒論未提出や留年なども、このケースに当てはまるかもしれない。気軽に相談できる人や機会があれば、本人の解決能力を引き出せる場合もあり、適切に対応できていれば、スムーズな解決につながることも少なくない。

これらの問題点の解決への具体的な方法として、次のことが考えられる。それは、学生サポートの機能を持つ機関、一定の時間その場所に、「学生相談室」のようなプロのカウンセラーが座っている『学生サポートセンター』を作ることが大学側でできる一つの例である。学生生活の中で何らかのアドバイスを必要としている学生や、学業の面で悩んでいる学生のサポートを目的として、カウンセリングマインドやリーダーシップの養成講座などを受けた上級生や大学院生で構成されているサポートチームの人たちが在室し、学生からの相談に対応してもらうというものである。ただし、それだけの目的で

120

開くと、特定の学生しか集まらないということもおこりうるので、「海外留学資料センター」のような学生が気軽に訪れることのできる機能を兼ねる。またときには栄養士や専門カウンセラーに座ってもらい、一人暮らしの学生の栄養相談に対応してもらうなど、多目的な場所にする。そのような形をとることによって、色々な学生が気軽に立ち寄ることのできる部屋になるであろう。また、学内で自分の場を持てず、他の学生と交われない学生にとっても、誰かと交流するきっかけの「場」となるようなコミュニケーション効果も期待できるのではないであろうか。

では、具体的にこのサポートルームの主な目的を以下に紹介する。

文部省高等教育局では大学をとりまく変化に対応するため、『大学における学生生活の充実方策（案）』で「二十一世紀の人間形成に向けた豊かなキャンパスライフ」と題して、教員中心主義の大学から学生中心主義の大学への視点の変換、正課外教育の積極的な見直しを提唱している。

学生の現状に関して、現在各方面からさまざまな問題が提起されている。中でも、対応が急がれる問題の一つは、既存の窓口から「漏れる」学生や問題への対応である。現

在、学生は学科の研究室や学生相談室など、既存の窓口を目的によって自発的に利用しているが、多くの大学の現状のシステムでは対応しきれない問題が多々あるとみられる。様々な問題を抱えて、具体的に何をどのようにしたらよいのかわからないという学生や、勉強の仕方がわからないで困っている学生、留学に関する情報をまとめて得たいという学生、また、外国人留学生が気軽に援助を求められる、というように、多目的に利用できる場所がない。こうした既存の窓口でサポートできない問題を総合的に受け止めるサポートシステムの場が必要になっている。

サポートルームの特徴を一言でいうと、「成長促進的な場」ということになる。例えば、勤勉性や効率性、生産性を問わず、ある学生にとっては「無為」が保証される場であるとともに、授業に出席するための発進場所となる。また孤立しがちなな学生には新しい出会いと仲間を形成する場であり、勉強の仕方で困っている学生にとっては、学科や学年の枠にとらわれずに学ぶことが可能な場であり、利用する学生がこの「場」を通じて、互いに支援しあうパートナーシップを構築していくことが期待される場でもある。また、あるときにはその一角をボランティア活動の作業の場として提供することによって、思いがけなく他の学生の参加でボランティアの輪が広がるということも考えられる。

入学してきた学生全員が、それぞれに目的をもって卒業できるように、大学共同体の実践の場となることも期待できる場所である。

平和教育（Peace Education）で実践

ここでは、「平和教育」を「ピース・エデュケーション」とあえて使いたいと思う。

なぜならば、日本で三十年以上定着してきた平和教育とは反核運動や、戦争と平和をテーマにしてきた印象が強い。が、本来の平和教育とは、戦争をなくすための教育のほかに、さまざまな問題を建設的に解決するスキルを身につけ、人権、ジェンダー、人種における平等と、文化の多様性を認め、地球の統合をはかることのできる人間形成の教育でもある。すなわち、積極的な平和（Positive peace）前向きな平和、個人の心の平和と幸福を得るための教育のことをいうのである。

一九七四年のユネスコ勧告、九四年の平和、人権、民主主義への教育に向けた包括的行動計画によって、平和の文化を築く教育が急務であるということが確認されている。

しかしながら、未だ、実際に実行している教育機関は少ないのが現状であるといわれている。

123

そのような現状の中で幸いにも一九九三年の夏、ハワイ大学で行われた国際平和教育学会（International Institute for Peace Education）に参加する機会があり、前記に紹介されているように平和の文化を築く必要性に目覚めたのである。組織的な平和教育なしにはその文化を築くことができないということを確信して、自分が担当する授業で実現したいと思った。ピース・エデュケーションを大学の授業でどう展開して行けるかと考えると、平和の文化を築く目的を学問にする専門の学科やカリキュラムを開設するか、または、もうすでにある授業の中に組込むか、方法は二つである。そして、実際に今まで自分が担当する英語、英語圏比較文化や人間論の授業に既にピース・エデュケーションに基づく内容をとり入れてきたのである。以下、今までどのようにとり入れて来たのか紹介しよう。

授業での実践：

私の専門は英語教育、英語学などである。したがって、担当する授業は語学や言語学的な研究などになるが、英語の授業などでは左記に紹介されている内容を使い英語の練習に当てはめている。イギリスを本部とするOXFAM（オックスファム）という非営利組織団体（NGO）が提供する、世界の貧困や不平等、OXFAMはその改善にどの

ように携わったかを紹介するビデオなどを英語の聞き取りの練習に使い、そこから会話へつなげ、さらにさらには討論へと展開する。

また、世界的な視野のもとに書かれた英語の教科書などをつかうのも一つの案だ。英語圏比較文化では、「ワールドスタディーズ」などの教科書に紹介されている民族を授業に取り入れることがある。必要な予備知識を与えて、英語圏の文化とそこで生活する少数民族や先住民族の問題や歴史などを学生に調べさせ、小学校三、四年生を対象とした授業を想定して、わかりやすく発表するように指示している。

また、ネイティブ・アメリカン、アフロ・アメリカン、インド人などの外国人の知り合いや友人が東京を訪れた際には、講演をしてもらっている。多くの学生がこれらの授業によって頬をたたかれたような思いがしたとか、知らなかった英語圏の実態に目をさましたなど、意見はさまざまである。実態を知った上で人権、性別、人種における平等、文化の多様性を認め、地球の統合をはかることにつなげて行けると思う。

そして、人間論の授業で紹介しているのが「コンフリクト・マネージメント」である。これは、自分と他者を慈しみ「和」を保つためのコミュニケーション法を紹介する授業で、ユネスコが支援する平和教育にある対立解消法に基づくものである。

例えば、対人関係で問題が生じたとき、お互いに敬意を示し、双方に利益のある解決方法を見出すためには、対話（dialogue）と建設的な交渉（constructive negotiation）が必要となる。そのときに不可欠なのが、自分の気持をどう伝え、相手の気持をどう理解するかというコミュニケーション能力である。具体的なコミュニケーション法は後に紹介する。

講義の進め方は、まず二人でチームを組み、五分から十分間自分の好きな所などをアピールする。次に、ペア二組でお互いのよいところを相手に紹介しあう。自分を理解し、慈しむ気持がなければ、相手も同じ要素をもっているということを理解できないという考えに基づいたやり方だ。最初は自分のよいところなど考えたことがないといって、照れたり戸惑ったりする学生が多いが、お互いを紹介する段階にくると、ほとんど皆といえるほど多くがとてもよい顔をして微笑んでいる。また、問題解決策を探るケース・スタディーにおいても、ある問題に対する自分の気持と要求、相手の気持と要求、そして、相手をどう理解するかを実践的に学ぶ際に、学生は冷静に人と交渉し、自分の気持を伝えることは、非常に難しいことだと改めて実感する。

このようにして既存の授業の中で、平和の文化を築くための平和教育を実践してきた。

学科のカリキュラムの中で実践‥

二〇〇一年四月には私が勤める清泉女子大学では地球市民学科がで文学部に設置され、平和の文化を築くためにピース・エデュケーションに基づく正式なカリキュラムが発足した。「人間、地球、共生」をキーワードに、国や民族を超えたグローバルな視野で、人間の共生、人間と地球の共生など、地球上のさまざまな問題を解決する能力をもち、社会に貢献できる女性を育成して行くことを目的としている。

地球市民学科の大きな特徴は、教室で得た情報や知識をもとにして、外で体験学習を行い、また、教室にその体験を持ち帰ってさらに学んでいくということ。受け身の発想で学ぶのではなく、自分で「こんなことをやりたい」という好奇心を追及していく学科だといえる。　学べる範囲が幅広い。専門科目は地球社会関連科目と異文化理解関連科目とにわかれ、「地球と開発」「世界経済構造と貧困」や、「地域研究」、「ビジネス翻訳」「異文化間教育」など、一見文学部とは思えないほど様々な分野を網羅している。一年次には在日外国人のコミュニティにその中には豊富な体験学習も含まれている。一年次には在日外国人のコミュニティにおける異文化体験、二、三年次ではアジア諸国でのボランティア活動にもチャレンジしていく。このように、幅広いカリキュラムの中で多彩な体験学習を通して地球の「今」

を学ぶプログラムを提供することが地球市民学科の特色）である。基礎的科目は、学生が自分の課題を見つけ四年間で何を学んで行くのかを決める「学習設計」から始まり、

「地球市民の基礎知識」や「体験学習」「言語・情報の基礎的技能」などのテーマ別授業によって、地球市民に必要な知識と技能を習得する。四年次には、一年次の「学習設計」で定めた目標達成度を自己評価し、その成果を発表する「卒業プレゼンテーション科目」もあり、聞き手に分かりやすく伝える技術を体得する。

「コンフリクト・マネージメント（conflict management＝対立管理法）」の授業とは……

この地球市民学科で「コンフリクト・マネージメント」という名前で二年次から四年次までの選択必修科目が始まる。平和の文化を築くためのピース・エデュケーションを目的とする新しい科目の開講である。国連教育科学文化機関（ユネスコ）憲章前文では「戦争は人の心の中で生まれるものであるから、人の心の中に平和のとりでを築かなければならない」と宣言している。その上、「平和」とは戦争がない状態のみを指すのではなく、日々の暮らしの中で平和を「文化」にすることを提言している。平和の文化を耕すことは一人ひとりが「戦争と暴力の文化」を否定し、「平和の文化」を目指すことである。それには日常生活での平和なしには何も築くことができないからである。

128

「コンフリクト・マネージメント」の授業では、ユネスコが支援するピース・エデュケーションで紹介されている対立解消法（conflict resolution）を研究する。学際的な見地から、国際社会を視野に入れ、国家間・宗教間の紛争を深く掘り下げて検証する。対立や不和を解決する手段を用い、さまざまな対立から起こる問題にどう立ち向かい、どう交渉するかという、建設的な解決方法を紹介している。

平和を「文化」にすることはまず、一人ひとりの心の平和を安定させることから始まる。又、「怒り」という感情を分析し、どのように処理し、コントロールするかを学ぶことによって、望ましい人間関係と心の平穏を探求する。すなわち、自分と他者を慈しむコミュニケーション法である。

アメリカでは、幼稚園の段階や小学校の低学年からコンフリクト・マネージメント・スキル（対立解消技術）を教育に取り入れている。例えば、子ども同士のけんかの場面を想定し、三人目の子どもに仲裁役をやらせるなど、具体的な話し合いの技術を学ぶ訓練が行われている。

相手と意見や考えが食い違ったときや同じものを両者が同時に欲しがったときなどに、相手の立場を理解しながら自分の気持や考えを伝え、問題を解決していく方法をさがす。

自分の気持を相手に素直に伝えるというのは、本当はとても難しいのである。西洋人はイエス、ノーがはっきりしていて、考えを主張するのは得意であるといわれているが、自分の気持を伝えるのは決してやさしいことではない。これは持って生まれたものではなく、技術として学ばなくてはできないことなのだ。

「コンフリクト・マネージメント」は、すべての教育の場で、その年齢に相応な応用の仕方で導入することが可能である。そして、コンフリクト・マネジメント・スキルはあらゆる人間関係の原点だといえるだろう。個人レベルから社会や学校、さらには国家レベルに至るまでその範囲は広がり、戦争や紛争の解決にも重要な役割を果たしている。

実社会で求められる問題解決能力を在学中から修得し、実践するという新しい学問に挑戦できることが授業の魅力になっていくことを願っている。二年後には、地球市民学科では、「コンフリクト・マネージメント」のゼミを開講する予定になっており、私にとっても、コンフリクト・マネージメントはライフ・ワークになるであろう。

自分と他者を慈しむコミュニケーション法

では、「コンフリクト・マネージメント」を学ぶ上で、具体的に自分と他者を慈しむ

コミュニケーション法をどのように自分の能力　（スキル）　として身につけるのか、簡単に紹介したいと思う。

相手を慈しむためにはまず自分を慈しむ必要がある。愛と可能性に満ちている自分を発見することから始まる。自分の良さや好きなところ、自分の長所など考えてみる。実際の授業では学生を二人ずつに分けお互い五分ずつ自分の良さを紹介しあうことから始まる。一人が話しているときは、聞いている方はノートをとりながら、一生懸命話を聞くことである。

自分の何を紹介したらいいのか迷いながらも、一生懸命考えて「家のおばあちゃんの看病のお手伝いをしているから、そういうところかな」という者もいれば、「自分は食いしん坊で、けっこう料理ができるから、そういうところかな」などといっている者もいる。またなかには手をあげて「私、自分のよいところなんて考えたことないので、なにもいうことがありません」という者もいる。

そこで、私が「では、最近だれかに褒められたことが何かありましたか」と聞いてみると、「そういえば、この前、母があっちゃんはやさしいねっていってくれた」という。

「ああそう、だったらあなたのよいところはまず、やさしいところじゃない」

そういっているうちにほとんど十八歳か十九歳の学生の中に、社会人入学した者がいて、手をあげて「わたくし、夫と子どもが二人いるのですが、私がやることはすべてあたりまえで、失敗したり、忘れ物をしたりすると、皆に文句をいわれ、褒められたことを考えてみるとまったくありません。なんだか、悲しいですねぇ」と発言した。

他の学生が「へえ、そんなの、かわいそう」とつぶやいた。「そう、それでも、大学の勉強と母や妻の仕事をちゃんと毎日こなしていることだけでも素晴らしい長所ではないですか」と励ましたところ、彼女は他の学生全員に、「私はたぶん皆さんのお母さん位の年です、皆さんのお母さんもきっと毎日一生懸命みなさんの食事を作ったり、家の仕事をしたりしてると思います。それを、皆さんがあたりまえにとっているとしたら、たまにはどうぞお母さんに『ありがとう』と、一言いってあげてください」という言葉に、クラスの全員がうなずいた。このような出来事が絶えない十分間である。

それがすむと、今度は学生二人ずつを他の二人に組ませ、それぞれが自分のパートナーがいかに素晴しいよい人か他の二人に紹介するのである。

教室を見渡すと全員が素晴しい笑顔で話している姿を発見し、やはりよいことを考えて、話したりすることは人をよい顔にするのだ、と実感したのである。

終わってから、学生に感想を聞くと、いかに自分の良さを日頃考えていないかと気がついた者や、自分の良さを他の者に紹介されることは、ちょっぴり恥ずかしくて、てれくさいような感じだったけど、何となくいい気持になったという者もいる。もっと自分を見つめる時間をつくるべきだと思うようになる学生も少なくはない。

教室の中ではなくとも、話す相手がいなくても、紙に自分の長所などを箇条書きにしたり、テープに吹き込んであとで聞いたり、鏡に向かって話したりすることができる。

これらのあとに、こういう人になりたいとか、このような性格になりたい、などと思うことを黒板に書いたり、紙に書いたりする。

何人かの学生が語った例を紹介する。

思いやり、健康、自信、勇気、最後までやり抜く力、寛大さ、落ち着き、大きな夢、冷静さ、相手を信じる、チャレンジ精神、責任感、柔軟性など色々ある。ここで、学生にこれら全部がみんなの中にあり、愛と可能性に満ちていると説明する。そして、他者にもこれと同じ可能性をもっていることを伝える。だからこそ、自分も相手も慈しむ必要があるのだ。

ここで、一番最初のコミュニケーション法に授業で大学生が書いてくれた例を出し、

それを学生に読んでもらう。画用紙いっぱいに「LCS」という大きな文字を色々な色で書いた看板を持つ。「LCS」とは「Lovable and Capable Self」の省略で「愛と可能性に満ちた自分」のことである。学生が「なみえチャン」の話を読んでいき、「なみえチャンが傷ついたと思われるときに、その画用紙をちぎっていくのである。

今日はなみえチャンの誕生日です。でも今日はテストがあります。（少しちぎる）

なみえチャンは学校にあまり行きたくなくて、ゆっくり学校へ行く準備をしていると、「何してるの？」とお母さんに叱られました。（ちぎる）

そこにいたお父さんにも「おまえはいつもトロトロしているんだから」といいました。（ちぎる）

ごはんを食べようと席につくと弟が「じゃまなんだよ」といいました。（ちぎる）

そして、学校へ行くために電車に乗ると、いつもいる友だちのゆりこさんがいません。なみえチャンは昨日、「明日テストだから、一本前の電車に乗ろうよ」といわれたのを忘れていました。（ちぎる）

そして学校へつくとなみえチャンはゆりこさんに「何で今日、電車に乗らなかった

134

の？　待ってたのに」と怒られました。（ちぎる）

ゆりこさんは他の友人と内緒話を始めて、仲間に入れてもらえませんでした。

（ちぎる）

なみえチャンは誕生日なのに、朝、誰からも「おめでとう」といわれませんでし
た。（大きくちぎる。残った画用紙はとても小さくなっている）

なみえチャンのように自信をなくす出来事や、親子の信頼が薄れたり、友人に裏切
れたりしたときには、私たちの中にある愛と可能性に満ちている自分が小さくなり体も
がっくりして姿勢がわるくなる。褒められたり、やさしくされたり、勇気づけられたり
すると、愛と可能性に満ちている自分が大きくなり、胸を張って歩けるようになるので、
背中もしゃきっとまっすぐになり、姿勢がよくなるのである。

アメリカなどでは苛め防止のために子どもを愛と可能性に満ちた育て方をして、胸を
張って歩けるように練習させることによって、苛めの対象からはずれるようにするので
ある。自分を精神的にも肉体的にも健康にするには愛と可能性に満ちている自分を大き
く保つ必要がある。この愛と可能性に満ちている自分を保てるかどうかには三つの要因

がある。

(1) 他者が自分にいったこと、したこと、

(2) 自分が他者にいったこと、したこと、そして

(3) 自分が自分にいったこと、したこと、

である。

これらの言動によって、愛と可能性に満ちている自分が小さくもなり、大きくもなるのである。これを宗教的な言葉でいえば、仏教的には、自分にも菩薩があるように、他者にも菩薩がある、キリスト教的には神を相手の中に見る、ということではないだろうか。

問題や対立が生じたときや、自分を傷つけた相手に対して怒りを感じたとき、個人を責めるのではなく、その相手の言動をとがめなくては行けないのである。これを基準に話し合いをすれば、言葉や体の暴力をつかわずに、建設的な交渉法に全うすることができる。

次に、建設的な交渉法とは何かを紹介しよう。一般的に知られる交渉とは、主に何かを勝ちとるために使う術である。したがって、そこには必ず勝ったと思う者、と負けた

と思う者がいる。例えば、会社の取り引きなどで、値段の交渉などでかけ引きがある。

買う者や契約をする者は如何に安く、またどれだけ得するかによって交渉に熱意がはいる。

だが、建設的な交渉法とは如何に自分も他者も得をすることができるか、それによって如何にお互いのかかわりを強化することができるか、と考える方法なのである。勝ち負けや、相手をどう落し穴に落とすなどと計画する必要はないのだ。たしかに、この方法は時間、能力、技術と忍耐が必要であるが、長い目で見ると、現在と自分だけを中心にするのではなく、未来と社会、国、地球全体を頭に入れて、すべての幸福を考えることになる。

それでは、問題や対立が生じたときの建設的な交渉法の実践を紹介しよう。自分と他者の間で一つしか無いものを使用したい、または手に入れたいときや、意見や考えが違って合意が必要なときなど、この交渉術が役に立つであろう。

交渉のコミュニケーション法には基本的に三つのルールがある‥

(1)　それぞれが自分の要求を伝える、

(2)　それぞれが自分の気持を伝える、

(3)　それぞれが他者の要求と気持を理解する。

⑴について、自分の要求を伝えるとは、目的とニーズを明白に伝える。伝えるときに個人攻撃をせずに問題だけを見る。

⑵についての、気持を伝えるということは難しいことである。感情的になると平常心を失う、そして気持をきちんと相手にわかるように伝える代わりに、嫌みをいったり、罵ったりしてしまうことが多い。

正しく気持を伝えるには、「私のメッセージ」のパターンで伝える。

あなたが《他者の言動》すると、私は《自分の気持》になる。なぜならば〔理由〕であるから。

これを嘘をついてしまう子どもの母親に例えると、次のような「私のメッセージ」になる‥

「あなたが《嘘をつく》と、ママは《とても悲しい》気持ちになるの。それは〔あなたを信じていたのに裏切られた〕から」

⑶について、他者の要求と気持を理解するということは、他者が自分の要求や気持を伝えたときに他者の目をきちんと見て、黙って他者の話を聞き、他者が何を伝えようとしているかを考え、それを言い替えをして十分どう理解したかを示す。

他者がいったことを言い替えるときもルールがある。それは、まず、相手の身にな

り、相手の意見や気持を正確に理解し自分の言葉で言い替える。他者に言葉を伝えると

きは「こうして欲しいの」、「こういうように感じるの」、とか「こういう風に思うの」

などの表現を使う。そして理解し了解したことを態度で示す。即ち声の調子、顔の表情、

ジェスチャーや姿勢などで。コミュニケーションとは自分の考えや気持を相手にわかる

ように伝えるだけではなく、相手の話もきちんと聞くことも含まれているのである。

では、なみえチャンの例で「理解への掛け橋」(次頁表)を使って、コミュニケーシ

ョン法の応用をして見よう。

このように表にすると色々見えてくる。たとえ、なみえチャンがゆりこさんと実際こ

のように対話をしなくても、要求や、気持、そして理由を並べていくと、どうして自分

があのような態度をとったかなど、はっきりわかる。ゆりこさんだってどうして、自分

がなみえチャンを仲間はずれにしたのか、わからなかったかもしれない。なみえチャン

だけでもこのコミュニケーション法を知っていれば、ゆりこさんと対話をするとき、理

解をしようとして、色々質問をすることができるのだ。たとえば、自分が電車に乗らな

かったとき、どういう気持だったか、など。

BRIDGE TO UNDERSTANDING
理解への掛け橋

Mediator（仲裁人）_____   Date（日付）_____

	PERSON 1　私（なみえ）	PERSON 2　相手（ゆりこ）
WANT 要求	ゆりこさんが友だちたちと話をしている時に、無視されたり、仲間はずれにされたくない。	なみえさんに、約束を守ってほしかった。
FEEL 気持	さびしい。	だまされたのだと思った。
REASON 理由	わざと遅れたのではない。遅れたことを悪かったと思っている。許してほしい。仲間はずれにしないでほしい。	眠かったけど、なみえさんといっしょに勉強したいし、約束を守りたかったので、早起きをしたのに、来なかったので、わざと遅れたのだと思った。
UNDERSTANDING OF YOU 理解	ゆりこさんは、私と約束したから、早い電車に乗ろうと一生懸命早起きをしたのに、私が行かなかったからがっかりした。	なみえさんはわざと遅れたのではなかった。約束を守れなくて、悪かったと思っている。
THREE OPTIONS 三つの選択	1) ゆりこさんが、がっかりしているのに気づかなくてすまないと思う。 2) 次は必ず約束を守る。 3) ずっと友だちでいたい。	1) なみえさんが仲直りしようとしているのに気づかないで、仲間はずれにしてすまないと思う。 2) 次は何があったのかを尋ねる。 3) ずっと友だちでいたい。
AGREEMENT 合意	お互いを信頼して、問題が起きた時は話し合いましょう。あなたの気持ちがわからなくて本当にごめんなさい。これからも、ずっと友だちでいましょう。	お互いを信頼して、問題が起きた時は話し合いましょう。あなたの気持ちがわからなくて本当にごめんなさい。これからも、ずっと友だちでいましょう。
SIGNATURE　印		

©Johnson & Johnson　（Johnson氏のものを著者が日本語用 にアレンジ）

日本には「一歩下がる」という言葉があるが。これは、このコミュニケーション法と同じ基本に基づいている。「一歩下がる」とは、一歩下がって黙って我慢するということではなく、自分を一歩下げ、いわせて頂くという意味をもつと、私が二十のときに聞いたことがある。自分が一歩下がるとは、相手を尊重する、すなわち相手も愛と可能性に満ちているから、それを踏まえて対話をすることである。そして、「いってやる」という気持ではなく、「いわせていただく」ことによって、相手がこちらの話を聞きやすくするのである。「一歩下がる」というのは素晴しい言葉だと感じた。それ以来、対人関係で心が重くなったり、痛くなる出来事があるときは、黙って我慢するのではなく、相手に、近よりいわせていただくようにしているので、やり残しはほとんどない。常に、早いうちから解決を心がけ、自分の魂を平和にすることによって、幸福のアプローチを実践していくことができると思う。

あとがき

「幸福へのアプローチ」が出版できることになりました。松井ケティさんと永年かけての願いが、実現することになって本当に嬉しく思います。私たち二人の共通の考えは、女性として、妻として、母として過ごす日常の生活に、目的を意識するかしないかが、とても重要なことではないか、ということです。その目的とは、女性に与えられた特質を持って、社会に貢献ができたとしたら素晴らしいことではないか、ということです。

女性の特質とは、優しさであり、人々をつつみ込む暖かさであり、大らかさではなかろうか、と思います。人と人との交わりによって築かれている家庭や社会の中で、より良い発展のための潤滑油として、いまこの素晴らしい女性の特質を、家庭や社会が求めているのではないかと考えられます。このようなことをいつも二人で話しておりました。

家庭の内で、社会の中で、この女性の特質を意識したかかわりができたとしたら、どんなに素晴らしいでしょう。人と人との心の中に、暖かさ、優しさ、思いやりが充電さ

益田 晴代

142

れて、生きることへの希望と勇気が湧き上がり、明日の未来が輝き始めると思います。

しかし、この実践は、誰かが始めなくては進みません。一人が始めることから出発し

ます。家庭から、身近なところから始めることが大切です。家族が幸福な心になること

は、私自身の心が幸福になるからです。

幸福への条件は数限りなくあります。ひとつの願いが達成された瞬間、次の幸福への

願望がはじまり、それを求めつづけます。果てしない願望のサイクルを、私たちは考え

て見なくてはいけないと思います。

現代人の幸福の価値観が、ともすると物質へのこだわりによって決まるからでしょう

か。

「欲しいものをわが手にしたい！」

「それを手にすることが、幸福！」

と考えがちですが、物質は有限で、常に新しい快適さを求められ、開発されるしくみ

になっていて、どんなに高価なものであっても、また新しい形が現れると、前のものは

見捨てられてしまいます。そのことは、ものと人との間に交流がないことからきます。

人と人のように心を育てたり、ふれあいを進めることが無理だからです。

「豊かな心をもった人格を育てる」

このことはすべての人の願いなのですが、物質では育てられないものなのだということが改めてよくわかります。

「豊かな心」を育てるのは、人と人とのかかわりでしか育ちません。それも豊かな心を持った人―優しい心、思いやりの心、暖かな心によって、人の心は育つということです。

二十一世紀を生きる私たちは、このことを認識し確立した上で、人との出会いを通して、お互いの心を大切にする生き方を進めることが何よりも大切なことではないでしょうか。

家族が「元気にやるぞ!!」と、勇気を持ち羽ばたけるようなふれあいを心がけることがなにものにも勝る明日に向かっての、幸福へのアプローチではないでしょうか。今日、それが実践できなくても、明日、それも無理だったら明後日、試みてください。自己への挑戦が明日の幸福を創るのです。今までくり返し述べてきた私たち二人の願いは、女性たちの未来の幸福のために、「一番立ちはだかる要素となる鍵」をしっかり見すえて、いま「何を確実に行動することが大切なのか?」を考え、確立していただくことです。

家族から始まる豊かな心への充電のアプローチが、地域社会から世界へと広がってい

144

き、人類の永遠のテーマである「平和と幸福」へと発展していくことを願っています。

女性にしかない特質を生かして、人々に貢献することを推し進められるなら、私たちの

幸福の実現は夢ではありません。

このうえない未来の、地球の、幸福を願ってあとがきを終わらせて頂きます。

最後になりましたが、本書の刊行にはニューヨーク在住の美術評論家市田幸治先生の

多大なお力添えがありました。また、清泉女子大学の中里重恭先生と相京美樹子先生、

里文出版の安藤秀幸社長と、辰野芳子編集部長のご協力のおかげによるもので、ここに

松井ケティさんともどもお礼を申し上げます。

二〇〇一年九月

著者紹介

益田晴代 (ますだ はるよ)
株式会社 益田屋取締役

主な経歴

1955	タミ・リビングアクセサリー店開店
1964	同店、閉店。工芸作家・益田芳徳と結婚、株式会社益田屋入社
1965	長女　佳代子出産
1967	次女　江利子出産
1968	三女　恵美子出産
1970	四女　有希子出産
1976	新宿明るい社会づくりの会発足、地区推進委員
1980	新宿区各地域に家庭教育講演会が開催される。準備委員として活動
1987	新宿区大久保町会、中国視察団に参加、敦煌を訪問。敦煌研究員・日本留学生との日中友好交流を始める
1988	女性が上手に歳をとることという主題のもとにＰＴＡの仲間と共に『華の会』を結成する
1989	現代中国語学院、本科に入学
1990	次女と共にキャラバンでゴビ砂漠を走破、パミール高原、カラコロムを経て、パキスタンに入る
1992	四女と共にインド・カルカッタのマザーテレサ先生を訪問 インド・ネパール仏跡を巡礼する
1993	三女と共に欧州・ロンドン・パリ・ドイツを巡る
1994	"ＷＣＲＰ" ローマ大会に参加する
1995	平成8年度新宿区海外女性事情視察団に応募し、入選する デンマーク、韓国の「福祉制度」、「女性の社会進出」、「教育の現状」に対する視察団に参加、両国の女性と交流する
1996	"IALRW" 韓国会議に出席。"ACRP"タイ・アユタヤ国際会議に出席
1998	長女とともにハワイに行く。『華の母性』出版
1999	"The Key to Successful Child Rearing" 出版 "IALRW" カナダ国際会議に出席。"ＷＣＲＰ" ヨルダン国際会議に出席
2000	神戸西の宮神社講演。清泉女子大学合同授業講演。敦煌百年記念式典出席。ドイツ視察（新宿区女性海外研修者の会）
2001	参議院にて親学会発足にかかわる。

趣　味　ゴルフ、小唄、中国語・韓国語

Personal Data

Haruyo Masuda
Director, Masudaya Co., Inc.

1955: Opened the shop Accessories for Living Space.
1964: Closed the shop and married Yoshinori Masuda, craftsman; started employment at Masudaya Co., Inc.
1965: Gave birth to eldest daughter, Kayoko.
1967: Gave birth to second daughter, Eriko.
1968: Gave birth to third daughter, Emiko.
1970: Gave birth to fourth daughter, Yukiko.
1976: Shinjuku Civic Association for the Brighter Society Movement formed; served on district promotion committee.
1980: Home education lecture series held in Shinjuku Ward neighborhoods; served on organizing committee.
1987: Joined group tour to China with the Shinjuku Ward Okubo Neighborhood Association.
1988: Formed Bright Flowers Club with PTA colleagues to study how women can age gracefully.
1989: Entered a course of Chinese language study at the Modern Chinese Language Institute.
1990: With second daughter, crossed the Gobi Desert in a caravan, passing through the Pamir Highlands and across the Karakoram Mountains into Pakistan.
1992: With fourth daughter, visited Mother Teresa in Calcutta and made a pilgrimage to Buddhist holy sites in India and Nepal.
1993: With third daughter, visited Europe, touring England, France, and Germany.
1994: Took part in the Sixth World Assembly of the World Conference on Religion and Peace, held in Vatican City and Reva de Garda.
1995: Applied for and was chosen to join a women's inspection tour to Denmark and South Korea organized by the Shinjuku International Association, and took part in exchanges on the themes of "Social Welfare Systems," "Women's Role in Society"and "Education Today"
1996: Took part in a meeting of the International Association of Liberal Religious Women in Iksan City, Korea, and also in the Fifth Assembly of the Asian Conference on Religion and Peace in Ayutthaya, Thailand.
1998: Visited Hawaii with eldest daughter. Published "Hana no Bosei, " a book on child rearing.
1999: Published "The Key to Successful Child Rearing," English version of "Hana no Bosei." Took part in the International Congress of IALRW (International Association for Liberal Religious Women) held in Vancouver, Canada.
2000: Invited to speak at the Nishinomiya Shrine in Kobe. Invited to give a lecture at Seisen University. Invited to attend the Centennial Commemorative Ceremony at Dunhuang, China. Chosen to join a women's inspection tour to Germany by the Shinjuku Women's InternationalTraining Association
2001: Established Education for Parents, Study Group at the House of Councilors
Hobbies: Golf, poetry, Chinese and Korea languages.